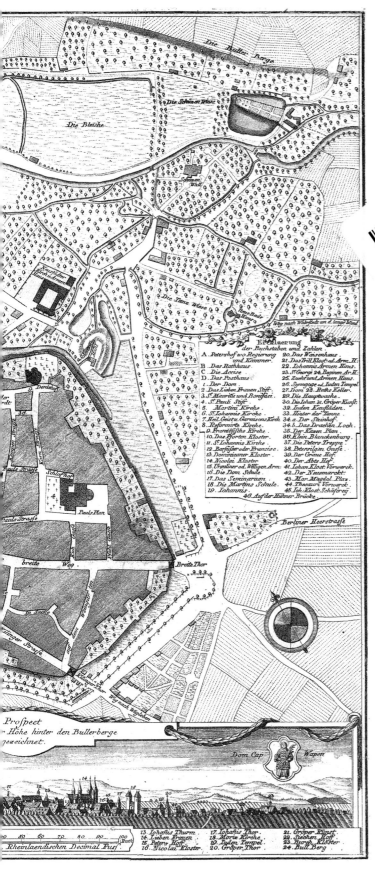

Plan von Halberstadt, Augsburg 1784

Halberstadt
Dom, Liebfrauenkirche, Domplatz

Von Peter Findeisen

Mit einem Beitrag von Adolf Siebrecht

Aufnahmen von Sigrid Schütze-Rodemann und Gert Schütze

DIE BLAUEN BÜCHER

Karl Robert Langewiesche Nachfolger
Hans Köster Verlagsbuchhandlung KG
Königstein im Taunus
2., durchgesehene Auflage 1996

Grabmal des Bischofs Rudolf von Halberstadt, † 1149, Bronze, um die Mitte des 15. Jh. (Inschriftrahmen mittleres 19. Jh.), im Chor der Liebfrauenkirche (vgl. Frontispiz).

INHALT:

UMSCHLAGVORDERSEITE: Nordseite des Domplatzes, Blick nach Osten, im Hintergrund die Domtürme.
UMSCHLAGRÜCKSEITE: Die südlichen Chorschranken der Liebfrauenkirche, vgl. S. 24.

FRONTISPIZ: vgl. oben (S. 2)

BILDNACHWEIS: Die Aufnahmen stammen, wenn nicht in der Bildunterschrift anders angegeben, von Sigrid Schütze-Rodemann und Gert Schütze, Halle an der Saale, mit Ausnahme folgender Bilder: Jutta Brüdern, Braunschweig: S. 73, Umschlagvorderseite. – Markus Ege, Stuttgart: S. 14 u.l., 32. – Hochschul-Film- und Bildstelle der Martin-Luther-Universität Halle-Wittenberg (Otfried Birnbaum): S. 16 o. r. – Institut für Denkmalpflege DDR, Arbeitsstelle Halle: S. 16 o. l., 16 u., S. 41 o. r. (Joachim Fritz). – Landesamt f. Denkmalpflege Sachsen-Anhalt, Halle/Saale: S. 2, 35 ol. – Photo-Studio Mahlke, Halberstadt: S. 9. - Dr. Adolf Siebrecht, Halberstadt: S. 3-7. – Karl Heinz Priese, Berlin: Frontispiz. – Staatliche Museen zu Berlin - Preußischer Kulturbesitz, Kupferstichkabinett (Jörg P. Anders): S. 60 o. – Städtisches Museum Halberstadt: Vorsatzblatt. – Nach: Die mittelalterlichen Baudenkmäler, Niedersachsen, hrsg. von dem Architecten- und Ingenieurverein für das Königreich Hannover, 1, 1862: S. 28.

IMPRESSUM:
Copyright © ²1997 by Karl Robert Langewiesche Nachfolger Hans Köster Verlagsbuchhandlung KG., Postfach 1327, D-61453 Königstein im Taunus. Printed in Germany.   ISBN 3-7845-4604-8

Archäologische Bemerkungen zur Domburg

Halberstadt liegt im Zentrum des nördlichen Harz-vorlandes. Das Landschaftsbild wird durch das Tal der Holtemme und die langgestreckten West-Ost bzw. Nordwest-Südost verlaufenden Höhenzüge des Huy im Norden und der Spiegels-, Klus- und Thekenberge im Süden der Stadt bestimmt. Im Stadtgebiet von Halberstadt erreicht das Holtemmetal mit seinen ausgeprägten Terrassenhängen eine Breite von 800 m. Zahlreiche ur- und frühgeschichtliche Fundplätze auf der südlichen und nördlichen Flußterrasse lassen die Siedlungsgunst dieser Landschaft erkennen. Bestimmend für die Lage des mittelalterlichen Halberstadt waren die Hochfläche der südlichen Terrasse, ihr nördlicher Terrassenhang und der südliche Teil des Holtemmetales mit dem Nebenarm der Holtemme, dem sogenannten Kulkgraben. Die dörfliche Altsiedlung Halberstadt - "Stätte, Siedlung am geteilten Bach" - befand sich wahrscheinlich in der Nähe einer Flußgabel der Holtemme auf dem südlichen Terrassenhang westlich der Domburg.

Mit der Errichtung des Bistums im Jahre 804 trat Halberstadt in das Licht der Geschichte. Die 814 durch Kaiser Ludwig dem Frommen erfolgte Bestätigung des Bistums gibt erste Hinweise zur möglichen Lage der damals dort errichteten Kirche und damit auch indirekt auf die Lage der Domburg: "...daß Hildegrim von Châlons, der ehrwürdige Bi-

gert und damit das Areal der Domburg allmählich vergrößert. Futtermauern begrenzten den jeweiligen Abschluß. Die sogenannte "Burgmauer" im Düsterngraben und Lichtengraben bildete im 12./13. Jahrhundert den Endpunkt dieser Entwicklung. Mit der angeblich unter Bischof Arnulf 1018 geweihten Mauer sind dieser Mauerverlauf und auch diese Mauer auf keinen Fall identisch. Erstmals wird 1133 eine Mauer als "Mauerumgang" und "Immunität der Mauer" erwähnt. Der heute sichtbare Mauerverlauf ist neuzeitlich.

Ausgrabungen im Museumskeller erbrachten erstmals für die Ostseite der Domburg den Nachweis für einen sächsischen Siedlungshorizont des 8./9. Jahrhunderts. Er liegt in 3,50 Tiefe unter der heutigen Erdoberfläche auf dem mittleren Hang der südlichen Terrasse zum Holtemmetal. Die Fundumstände erklären das bisherige Fehlen von Funden und Befunden des 8./9. Jahrhunderts.

Im Ergebnis der archäologischen Forschungen des Städtischen Museums Halberstadt konnten für den südöstlichen Bereich der Domburg für das 8. - 12. Jahrhundert vier zeitlich aufeinanderfolgende Befestigungsgräben nachgewiesen werden. Die Fragen nach der Entwicklung der Domburg, nach ihrer Größe und Einteilung können auf der Grundlage der gesicherten archäologischen Ergebnisse und zum Teil mit Hilfe der schriftlichen Quellen zur Zeit nur durch hypothetische Überlegungen beantwortet wer-

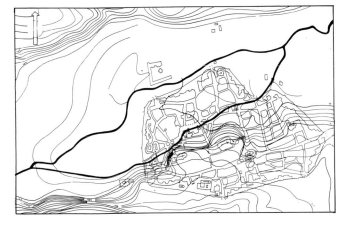

Das rekonstruierte Holtemme-Tal bei Halberstadt im 7./8. Jh. mit den Terrassenhängen und den beiden Armen der Holtemme. Bestimmend für das frühmittelalterliche Halberstadt waren die südliche Terrasse und der südliche Arm der Holtemme, der auch als "Kulk" bezeichnet wurde.

schof der Halberstädter Kirche, die zur Ehre Christi und seines ersten Märtyrers Stephanus über dem Holtemmefluß im Harzgau erbaut ist ...".

Die Domburg liegt auf dem oberen Hang der südlichen Terrasse des Holtemmetals, die flach nach Norden abfällt. Das heutige Erscheinungsbild des Domburggeländes mit seinem Steilabfall nach Norden, Nordwesten und Nordosten entspricht nicht dem ursprünglichen Geländerelief, sondern ist das Ergebnis jahrhundertelanger Bautätigkeit bis ins 18. Jahrhundert. Der anfallende Bauschutt und Siedlungsmüll wurden auf dem nach Norden zum Holtemmetal flach abfallenden Terrassenhang abgela-

den. Dabei wird von einer mehrphasigen zeitlichen und räumlichen Entwicklung ausgegangen, die den jeweiligen Entwicklungsstand der konkreten historischen und ökonomischen Situation des Bischofssitzes widerspiegelt.

In der 1. Phase umfaßte die Domburg nur die östliche Hälfte des Domplatzbereiches, im weitesten Sinne das Gebiet um den heutigen gotischen Dom. Die westliche Befestigungslinie verlief in Höhe des Tränketores in Nord-Süd-Richtung zur Dompropstei. Der Zugang zu dieser Domburg könnte im mittleren Bereich dieser Befestigungslinie gelegen haben. Im Zentrum einer mehr rechteckig-ovalen Befesti-

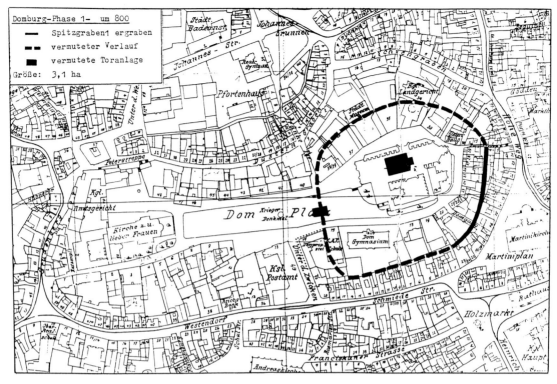

Oben: Die Phase 1 der Domburg, um 800, Rekonstruktionsversuch.

Unten: Die Phase 2 der Domburg, im 9. Jh.; Rekonstruktionsversuch.

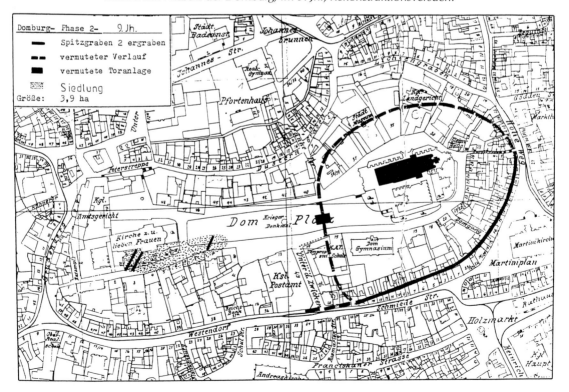

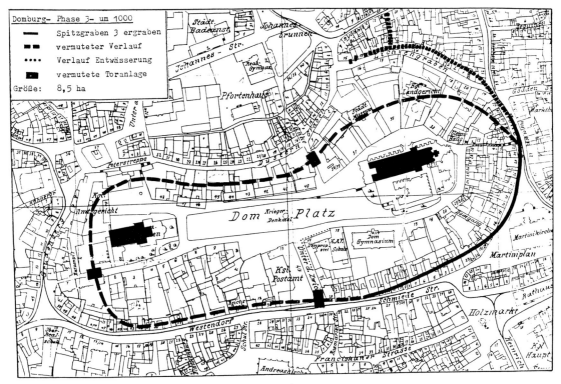

Die Phase 3 der Domburg, um 1000, Rekonstruktionsversuch.

gungsanlage mit 220 m West-Ost und 180 m Nord-Süd-Ausdehnung lag die Missionskirche. Die Grundfläche dieser ersten Burganlage betrug ca. 3,1 ha.

Die 2. Phase (9. Jahrhundert) dehnte sich bereits weiter in südlicher und östlicher Richtung aus. Die Befestigung hatte noch einen rechteckig-ovalen Grundriß mit einer West-Ost-Ausdehnung von ca. 250 m und einer Nord-Süd-Ausdehnung von 200 m. Die Grundfläche betrug 3,9 ha. Etwa in ihrem Zentrum lagen jetzt der 859 geweihte 1. Dom und die sich südlich daran anschließende Klausur. Westlich und außerhalb dieser 2. Domburganlage hatte sich eine Vorburgsiedlung südlich der heutigen Liebfrauenkirche herausgebildet. Es ist aber auch möglich, daß diese Vorburgsiedlung ebenfalls durch eine Befestigungsanlage geschützt war. Der Verfasser hält aber die erstere Variante für wahrscheinlicher.

Erst mit Phase 3 (um 1000) entstand die große Domburganlage, die noch heute den langgestreckten ovalen Grundriß des Domplatzes prägt. Die West-Ost-Ausdehnung betrug 520 m und die Nord-Süd-Ausdehnung 220 m. Die Burg umfaßte nun eine Grundfläche von 8,5 ha. Auf der Ostseite dominierte der noch unter Bischof Hildeward 992 geweihte 2. Dom. Auf der Westseite war die 1005 von Bischof Arnulf geweihte Liebfrauenkirche hinzugekommen. Neu waren auch die 3 befestigten Zugänge zur Burg, das Tränketor im Norden, das Tor bei der Liebfrauenkirche (Drachenloch) im Westen und das Düstere Tor im Süden, wahrscheinlich das Haupttor. Vermut-

lich hatte schon unter Bischof Hildeward die Erweiterung der Domburg begonnen, die sein Nachfolger Arnulf weiterführte und 1018 weihte, worüber die Halberstädter Bischofschronik ausführlich berichtete. Die Bedeutung dieser Weihe bestand vor allem darin, daß die Immunität von dem alten auf den neuen Teil der Burg übertragen wurde. Damit war der gesamte Bereich der neuen Burg zur "grundherrlichen Grafschaft" des Bischofs geworden (W. Schmidt-Ewald). Diese repräsentative Ausgestaltung der Domburg widerspiegelt die zunehmenden ökonomischen Möglichkeiten und die gewachsene Rolle der Halberstädter Bischöfe im ottonischen Reichskirchensystem. Sie entsprach dem gewachsenen Repräsentationsbedürfnis der Bischöfe und ihrer Gastungsverpflichtung gegenüber den königlichen Herrschern und ihrem Gefolge. Auch in den anderen sächsischen Bischofssitzen wie Hildesheim und Paderborn ist eine ähnliche Entwicklung zu beobachten.

In der 4. Phase um 1100 wurden der 4. Befestigungsgraben und die Mauer der Immunität errichtet. Die geringe Eintiefung des Sohlgrabens signalisiert ein Nachlassen bzw. letzte Arbeiten an der Graben-Wall-Anlage, die eine West-Ost-Ausdehnung von 540 m und eine Nord-Süd-Ausdehnung von 210 m hatte. Die Grundfläche umfaßte jetzt 9,2 ha.

Der 1133 erwähnte "Mauerumgang" bzw. die "Immunität der Mauer" führte vermutlich an der inneren Seite des Befestigungsbereiches entlang. Nach der äußeren Seite blieben die langsam be-

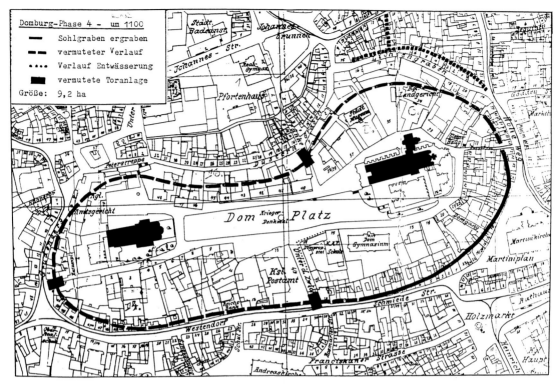

Oben: Die Phase 4 der Domburg mit dem Sohlgraben, um 1100; Rekonstruktionsversuch.

Unten: Die Phase 4 der Domburg mit der Mauer der Immunität, um 1100; Rekonstruktionsversuch.

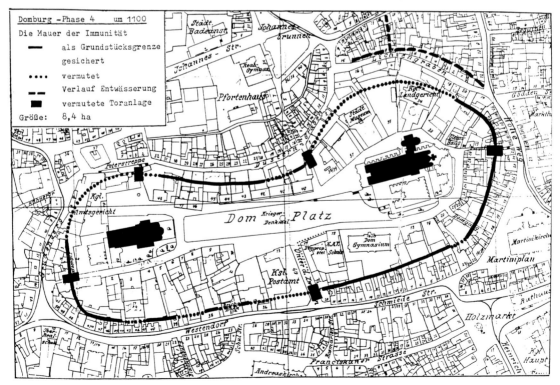

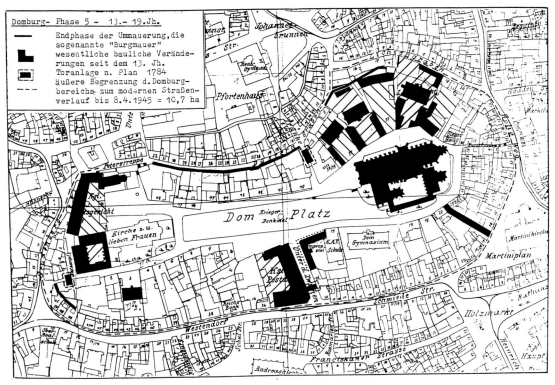

Domburg- Phase 5 - 13.- 19.Jh.

— Endphase der Ummauerung,die
  sogenannte "Burgmauer"
┗ wesentliche bauliche Veränderungen seit dem 13. Jh.
▣ Toranlage n. Plan 1784
  äußere Begrenzung d.Domburg-
--- bereichs- zum modernen Straßen-
  verlauf bis 8.4.1945 = 10,7 ha

Die Phase 5 der Domburg mit wesentlichen baulichen Veränderungen vom 13. bis zum 19. Jh.

deutungslos werdenden Befestigungsanlagen liegen, ehe sie seit dem 12. Jahrhundert überbaut wurden. Der Mauerverlauf erhielt sich in den Grundstücksgrenzen. Die Linienführung dieser Grenzen ist nach dem Stadtplan von 1784 mit den Resten der Tore der Domburg, dem Düsteren Tor, dem Drachenloch und dem Tränketor, zu verbinden. Damit kann auch die räumliche Ausdehnung der Domburg für das 12./ 13. Jahrhundert erschlossen werden. Neu waren jetzt die Zugänge zur Domburg vom Hohen Weg durch die Burgtreppe und dem Vogteigebiet durch die Peterstreppe. Die West-Ost-Ausdehnung betrug 540 m und die Nord-Süd-Ausdehnung 240 m. Die gesamte Fläche innerhalb der Immunitätsmauer hatte eine Größe von 8,4 ha.

Im 13.-19. Jahrhundert (Phase 5) kam es zur Herausbildung des uns heute bekannten äußeren Erscheinungsbildes und Grundrisses der Domburg mit insgesamt 10,7 ha Größe.

Die Halberstädter Domburg hatte sich demnach von einer 3,1 bis 3,9 ha großen Anlage im 9. und 10. Jahrhundert zu einer großen Burganlage mit 8,5 ha im 11./12. Jahrhundert entwickelt. Es ist zu betonen, daß unsere Kenntnis vom Aussehen karolingischer Pfalzen noch sehr gering ist. Aus der Literatur sind mir keine vollständig ergrabenen sächsisch-karolingischen Bischofsburgen bekannt geworden. Meist konnte ihre Größe nur durch die Untersuchung bestimmter Bereiche erschlossen werden, so daß ihren

Grundriß und die Größe betreffend nur von Annäherungswerten gesprochen werden kann. Sie lassen aber im Grunde gleiche Entwicklungstendenzen erkennen. Aber auch in ihrer topographischen Lage und Gestalt sind auffallende Übereinstimmungen zu beobachten. Bezogen auf das für Halberstadt gewonnene Bild können wir noch heute Ähnlichkeiten mit den Domburgen in Hildesheim, Münster, Paderborn und Verden erkennen. Damit wird eine "Grundkonzeption karolingischer Gründungen" ersichtlich (K. Günther).

Dr. Adolf Siebrecht

Die Halberstädter Bistumsgrenzen im 9. Jh.
(nach Glowka, 1992).

Die Bistumsgrenzen nach Gründung des
Erzbistums Magdeburg (nach Glowka, 1992).

Geschichtliche Voraussetzungen

Im Stadtkern von Halberstadt haben nur wenige Straßen und Plätze, darunter der Domplatz, ihre in den Jahrhunderten geformte Gestalt bewahrt. Die Wohnbebauung der Oberstadt war dem Luftangriff vom 8. April 1945 zum Opfer gefallen. Größere, als Ruinen hier noch stehende Bauten wie das Rathaus und die Paulskirche wurden später abgebrochen. Immerhin war die Unterstadt mit ihrem geschlossen erhaltenen Bestand von Fachwerk-Wohnhäusern des 15. - 18. Jahrhunderts erhalten geblieben, von Bedeutung auch für die Erscheinung des Domplatzes und seiner Gebäude im Blick von Norden her. Dieser alte Stadtteil hat nach 1970 unheilbar Schaden genommen: die Staatsmacht förderte seinen Verfall, und mit dem Abbruch ganzer Straßenzüge hat sie sich hier schließlich ein Schandmal gesetzt.

Die Verwüstungen, die die beiden Kirchen auf dem Domhügel, die Liebfrauenkirche und der Dom, im Krieg erlitten hatten, waren im wesentlichen schon bis 1952 bzw. 1956 behoben worden. In ihrer wiedergewonnenen Würde und Schönheit verkörpern vor allem diese Bauten, dazu auch die nahegelegene Martinikirche, das alte Halberstadt, seinen geschichtlichen und kunstgeschichtlichen Rang. Wie sich auf dem Platz Dom und Liebfrauenkirche gegenüberstehen, jener mit der mannigfach gegliederten Westfront, diese mit ihren einprägsam und klar gebauten Ostteilen und der Gruppe ihrer vier Tür-

me, und wie beide Kirchen immer noch vom Kranz der den Platz umgebenden Häuser eingefaßt und verbunden sind, das zählt mit Recht zu den eindrucksvollsten alten Stadtbildern in Deutschland.

Die Ausformung des Domplatzes gründet in der vor etwa 1200 Jahren getroffenen Standortwahl für den karolingischen Missionsstützpunkt, den Vorläufer der bischöflichen "civitas", der Domburg. Die ältere Geschichtsschreibung hat im "Leggenstein" vor der Westfront des Domes den Hinweis auf ein heidnisches Heiligtum an dieser Stelle gesehen. Über der Holtemme-Niederung im Norden und einer Fernstraße in Nord-Süd-Richtung erscheint der mäßig hochgelegene Ort jedenfalls günstig gewählt. Die Anfänge des Bischofsitzes gehen in die Jahre der Unterwerfung und gewaltsamen Bekehrung der Sachsen durch das Frankenreich zurück. Halberstadt gehörte zu den acht Bistümern, die im Anschluß an die Gründung von Bremen (787) entstanden sind. Nachdem ein erstes Missionszentrum vermutlich in Osterwieck aufgebaut worden war, wurde der künftige Bischofssitz bald nach 800 verlegt - eine auch anderenorts vorgenommene Korrektur erster Niederlassungen, die hier dem Nachteil der Randlage im neugebildeten Bistum entgegenwirken mochte: Die Diözesangrenzen verliefen entlang der Flüsse Unstrut, Oker und Ilse im Westen, der Ohre mit Einschluß der östlichen Altmark im Norden und der Elbe-Saale-Linie im Osten. Was für die 30 km weiter südöstlich gelegene Ansiedlung von Halberstadt sprechen

Ansicht der Stadt Halberstadt, Gemälde im Städtischen Museum Halberstadt. 2. Hälfte 17. Jh.
Der Ausschnitt zeigt den westlichen Teil der Stadt mit dem Dom (1), Liebfrauen- und Martinikirche (2, 4),
Andreas- und Moritzkirche (10, 6), Petershof samt Kanzlei (13, 14), dem Stederschen Hof (9). Vorn die
Gebäude des ehem. Burchardiklosters (26).

mochte, kann wohl nur noch mit archäologischen Mitteln näher geklärt werden. Denn die wichtigste Schriftquelle für die Frühzeit des Ortes, das Marktprivileg König Otto III. aus dem Jahr 989, deutet an, daß damals hier noch kein Markt bestanden hat.

Mit der kirchlichen Organisation war Hildegrim, Bischof von Châlons-sur-Marne seit 802, betraut worden. Die Bekehrung im neuen Bezirk stand unter dem Schutz des Titelheiligen von Châlons und anderer fränkischer Bischofskirchen, dem des Erzmärtyrers St. Stephanus. Der Bau der Missionskirche muß in die Jahre zwischen 802 und 809 fallen, denn schon Hildegrims Bruder, der Friesenmissionar Bischof Liudger (gest. 809), hatte an die "größere Kirche in der Domburg" eine Kirche, St. Johannes und Paul gewidmet, angefügt. Als bischöfliche Hauskapelle wurde ihr Nachfolgebau dem später heiliggesprochenen Liudger geweiht. Aus der Missionskirche ging der erste, 859 geweihte Dom hervor. Für das Jahr 965 ist der Einsturz dieses karolingischen Domes überliefert. In dieser Zeit wurde die Kathedrale zugleich unter den Schutz des hl. Sixtus gestellt - Arm- und Schädelpartikel dieses frühchristlichen Papstes hatte Bischof Bernhard (926-968) in Rom erworben, während die Mehrung der Stephanusreliquien ein Verdienst seines Nachfolgers Hildeward (968-996) ist. Beide Vorgänge dürften mit dem Neubau in engem Zusammenhang stehen: Mit großem Gepränge, nämlich in Gegenwart des kaiserlichen Hofstaates und unter Beteiligung von elf Bischöfen, wurde die Domkirche von Bischof Hildeward im

Jahr 992 dann neu geweiht. Es liegt nahe, diese Entwicklung in Verbindung mit dem - vergeblichen - Protest zu sehen, den der Halberstädter Klerus der Gründung des Erzbistums Magdeburg (968) entgegensetzte. Diese reichspolitisch hochbedeutende Entscheidung Kaiser Otto I. beschnitt die Zuständigkeit des älteren Bistums Halberstadt empfindlich, da dessen östlicher Teil an Magdeburg und seine Suffraganbistümer Merseburg und Zeitz abgetreten werden mußte. Schon damals könnte sich die Erinnerung an Karl den Großen, die in spätmittelalterlicher Zeit ihren Platz im Festkalender des Hochstifts hatte und uns noch heute in der Ausstattung des Domes mehrfach entgegentritt, zum verehrenden Andenken an den Gründer der Diözese entwickelt haben.

Das Liebfrauenstift, zu Beginn des 11. Jh. von Bischof Arnulf (996-1023) gegründet, war das älteste und vornehmste von mehreren Kollegiatstiften in und bei Halberstadt, seine Kirche die ranghöchste nach dem Dom. Wie an anderen Bischofssitzen auch, förderte hier die Organisationsform des gemeinschaftlichen (wenn auch nicht klösterlich-abgeschlossenen) Lebens von Priestern, den Kanonikern, den Aufbau der Pfarrorganisation und der Seelsorge im Bistum. Das Stift fand westlich des Domes bei der Vorburg Platz, wenig später in unmittelbarer Nähe auch noch ein neues, vom Dom nunmehr etwas abgesondertes bischöfliches palatium, der Petershof. Daß hier auf einmal Platz verfügbar war, ergab sich wohl daher, daß nunmehr östlich der Domburg die Marktsiedlung gedieh. Allein der

Ansicht des Domes von Nordosten.
Lithographie von
Carl Georg Adolf Hasenpflug, um 1830.

Die Türme von Dom und Martinikirche, vom
Düsteren Graben her gesehen.

Nachfolgebau der Marktkirche St. Martin, eine bedeutende hochgotische Hallenkirche, läßt heute
den Kernbereich dieser frühen Stadt erkennen. Verhältnismäßig früh, nämlich im Jahr 1241, ist auch
das Rathaus der Bürger am Martinikirchhof bezeugt.
Die Stadtmauer umfaßte schließlich mit Vogtei und
Westendorf ebenso die Siedlungen der bischöflichen Dienstleute wie die bei den neu gegründeten
Stiftern St. Peter und Paul und St. Moritz gewachsenen "Neustädte". Den mit dieser Ummauerung fest-
gelegten Umfang hat die Stadt bis zum 19. Jh. kaum
überschritten.

In der Zeit des Investiturstreites haben sich die
Halberstädter Bischöfe mehrfach, doch keineswegs
immer auf die Seite der fürstlichen Königsgegner
geschlagen. So sah Bischof Reinhard (1107-1123)
die Interessen des Bistums im Ostharz durch die
Reichsgutpolitik König Heinrichs V. gefährdet - diese Gegnerschaft büßte die Stadt und ihr Umfeld in
den Jahren 1113/14, indem sie verwüstet, Mauern
und Häuser zerstört wurden. In der 2. Hälfte des 12.
Jh. hat dann der Aufstieg Heinrich des Löwen die
Machtverhältnisse verändert: Die Lehenshoheit des
Hochstifts über welfische Orte wurde von Heinrich
nicht anerkannt, so daß Bischof Ulrich (gest. 1180)
im Lager des Kaisers und des Magdeburger Erzbi-
schofs stand, mit dem Ergebnis, daß seine Stadt im
Jahr 1179 erneut gebrandschatzt wurde. Die Wiederherstellung von Dom und Liebfrauenkirche hat
Jahrzehnte erfordert. Während die Kirche des Liebfrauenstiftes die damals erlangte Gestalt im wesentlichen bis heute bewahrt hat, ist der Dom, so wie er
heute steht, das Ergebnis eines vom 2. Viertel des 13.
bis zum späten 15. Jh. während den Bauprozesses, in

Ansicht des Domes, der Domstiftsgebäude und der beiden erhaltenen Gebäude der östlichen Domplatzbebauung (rechts das Gleimhaus), im Blick von Südosten.

dem der ottonische Dom durch einen gotischen Neubau ersetzt wurde. Der auch für mittelalterliche Verhältnisse überaus langwährende Bauverlauf muß der schlecht gefüllten Baukasse angelastet werden. Um so höher ist die Zielstrebigkeit zu bewerten, mit der das Bauvorhaben über diesen langen Zeitraum hinweg betrieben wurde. Dem Domneubau ging die Rückkehr Bischof Konrads von Krosigk (1201-1209) vom 4. Kreuzzug voran - das Heiltum, der Reliquienschatz der Kathedrale, hat damals einen so hervorragenden Zuwachs erfahren, daß der "adventus reliquiarum de Graecia" hinfort jährlich gefeiert wurde. - Dem Nachfolger Konrads gelang es, Vogtei und Gericht über die Stadt und ihr Gebiet zu erwerben, wie überhaupt der Ausbau eines weltlichen Territoriums nunmehr in den Vordergrund rückte (u. a. der Erwerb der Grafschaften Askanien und Falkenstein). Kriegerische Konflikte mit den Nachbarn, so den Grafen von Regenstein, dem Bischof von Hildesheim und, zu Anfang des 15. Jh., dem Erzbischof von Magdeburg, blieben daher nicht aus. Die Bürger haben ihrerseits versucht, eine selbständige Bündnispolitik zu betreiben. Soziale Ungleichgewichte führten dann 1423 zum offenen Konflikt, in dem der Bischof obsiegte.

Den von der Mitte des 15. Jh. an auf Kosten der alten Grafschaften großflächig sich formierenden Fürstentümern wie Kursachsen, Brandenburg oder Braunschweig mußte es darum gehen, die mitteldeutschen Bistümer ihrem Einflußgebiet einzugliedern. Zunächst hatte es Kurfürst Ernst von Sachsen (reg. 1464-1486) zuwegegebracht, seine jüngeren Söhne zu Erzbischöfen von Mainz und Magdeburg wählen zu lassen; Ernst, der Magdeburger Oberhirte, war seit 1480 zugleich Administrator (nicht Bischof, da die Ämterhäufung unzulässig war) von Halberstadt. Unter dem als tatkräftig und umsichtig geschilderten Kirchenfürsten wurde der Dom vollendet und im Jahr 1491 geweiht. Es entspricht dem sich schon im frühen 16. Jh. abzeichnenden Aufstieg von Kurbrandenburg, daß nach Bischof Ernst viermal hohenzollersche Prinzen erwählt wurden und unter diesen die Personalunion mit dem erzbischöflichen Stuhl von Magdeburg bis 1556 fortbestand. Die Diözesangrenzen wurden freilich gegenstandslos, als die jeweiligen Landesherren evangelischen Bekenntnisses ihre eigenen Kirchenregimente errichteten.

In der Stadt Halberstadt hatte die lutherische Lehre schon im Jahr 1520 Eingang gefunden. Zu dieser Zeit war Albrecht von Hohenzollern, der Bruder

Der östliche Abschnitt des Domplatzes nach Südosten, mit dem Remtergebäude (links), dem Dompfarramt und ehem. Domgymnasium (Stephaneum), im Blick auf die Türme der Martinikirche.

Kurfürst Joachims I. von Brandenburg, als Erzbischof von Magdeburg und Mainz der mächtigste Kirchenfürst im Reich. Als Albrecht V. hatte er 1513 die Nachfolge des Wettiners angetreten und von diesem die neuerrichtete Moritzburg in der Stadt Halle als Residenz übernommen. Sein Plan, auch in Halberstadt eine Zwingburg zu bauen, scheiterte am Widerstand des Rates. Im übrigen ließ sich Albrecht hier durch seinen Offizial Heinrich Leucker vertreten, einen Mann, der die ersten reformatorischen Regungen brutal unterdrückte. Nachdem im Jahr 1539 im Kurfürstentum Brandenburg und auch im Reichsstift Quedlinburg die Reformation eingeführt war, erzwangen die Stände die Duldung der evangelischen Lehre im weltlichen Herrschaftsgebiet des Bistums. Die erste evangelische Kirchenvisitation ließ dann Bischof Sigismund von Brandenburg im Jahr 1561 durchführen. Seine Nachfolger führten mit der Annahme des evangelischen Bekenntnisses nunmehr den Titel eines Administrators. Es dauerte aber noch bis 1591 bzw. bis 1604, bis die Domherren und die Kanoniker des Liebfrauenstifts in beiden Kirchen die Ausübung evangelischen Gottesdienstes zugestanden - eine Minderheit beider Kapitel blieb dem alten Glauben treu. Mit Erfolg sperrten sich auch zehn Klöster - in der Stadt Halberstadt die Dominikanerinnen und die Franziskaner - gegen die Einführung des Augsburgischen Bekenntnisses und überdauerten, von materieller und personeller Auszehrung bedroht, als Konvente bis zum Beginn des 19. Jh. So sehr sich die Regierung von Bischof Heinrich Julius von Braunschweig (1566-1613, seit 1589

zugleich Herzog) um das Wohl des Landes verdient gemacht hat - die der Söhne und Nachfolger war glücklos und sogar verhängnisvoll: Herzog Christian (1616-1624), der "tolle Halberstädter", hat schließlich das Bistum bedenkenlos in den großen Krieg geführt. 1625 besetzte Wallenstein die Stadt. Die kaum in Gang gekommene Rekatholisierung scheiterte, als die Schweden 1631 einrückten. Der Statthalter König Gustav Adolfs zog in die bischöfliche Residenz, den Petershof, ein. Grabsteine hoher schwedischer Offiziere erinnern im Domkreuzgang noch heute an diese Besatzungszeit.

Im Frieden von Osnabrück fiel das Land als nunmehr weltliches Fürstentum den brandenburgischen Hohenzollern zu. Im zunehmend zentralistisch regierten Staatswesen von Brandenburg hatte die alte ständische Vertretung - Domkapitel und Stifter, Ritter, Bürger und Bauern - bald nichts mehr zu befinden. Vor allem das aus dem Landadel gebildete Domkapitel hat mit dieser Entwicklung eine seit alter Zeit bestehende und bei Gelegenheit der Bischofswahlen immer wieder gesicherte führende Rolle in der Landesverwaltung aufgeben müssen: Seit 1661 wurde der Dompropst vom Landesherren eingesetzt, und die vordem die eigentliche Stiftsregierung repräsentierenden Kapitularen sahen sich zu bloßen Pfründnern degradiert. Dem Fürstentum stand jetzt ein Statthalter des Kurfürsten vor. Die Geschäfte führte ein Kanzler, als dessen Amtssitz der Petershof in Benutzung blieb. Die benachbarte Liebfrauenkirche war damals bevorzugte Begräbnisstätte der hohen Regierungsbeamten. Daß sich bis zum

Die ehem. Dompropstei und das Postamt an der Südseite des Domplatzes.

späten 18. Jh. eine Reihe von Besonderheiten erhielt, die Halberstadt dem Besucher als alte geistliche Metropole vor Augen führten, hatte seinen Grund im Fortbestand der geistlichen Stiftungen. Wir verdanken dem weitgereisten, in Halberstadt zeitweilig ansässigen Leopold Friedrich Goeckingk (1748-1828) lesenswerte Eindrücke vom alten Halberstadt:

Halberstadt ist ein lebhafter Ort, nicht just wegen seines Verkehrs, sondern weil hier die Landeskollegien des Fürstentums, viele Stifter und Edelleute, folglich viele Familien sind, die nichts zu tun haben, als Besuche zu geben und zu nehmen, oder kurz, ihr Geld zu verzehren. Ich erinnere mich nicht, an irgendeinem Orte von gleicher Größe, wo keine Residenz war, so viele Equipagen gesehen zu haben, und doch ist jetzt keine Garnison hier. Die Stadt ist mehrenteils altväterisch gebauet und hat nur wenige Häuser von guter Bauart, worunter die Wohnung des Domdechanten die vorzüglichste ist. Der Domplatz ist schön an sich, obgleich schlecht bebaut, indes geben ihm die Dom- und Marienkirche, welche an beiden Enden einander gegenüberstehen, ein gutes Ansehn. Da das Steinpflaster nicht das beste ist, so ward ich's bald müde, mich in der Stadt umzusehen...

Gestern früh ging ich in die Domkirche; ein schönes gotisches Gebäude, das Jahrtausenden Trotz bieten kann. Ich bemerkte, ohngefähr in der Mitte eines jeden Turms, auswendig eine große Laterne und erfuhr, daß diese von der Stiftung eines Domherrn herrühre,

welcher sich in finsterer Nacht ohnweit Halberstadt verirrt gehabt und durch das Licht des Küsters, als der auf dem Domturm abends um 8 Uhr an die Glocke geschlagen, zurecht gewiesen worden. Seit dieser Zeit brennen die beiden Laternen im Winter von 8 bis 10 Uhr, im Sommer von 9 bis 11 Uhr, und man soll ihr Licht über eine Meile weit sehen können. Mir gefällt die Menschenfreundlichkeit dieses Domherrn, denn ich selbst weiß aus der Erfahrung, was der Anblick eines Lichts dem verirrten Reisenden ist. - Es war, als ich die Kirche sah, just um die Zeit, daß die Vikarien ihre Hora hielten, und ich sah einige in ihren weißen Chorhemden über den Domplatz gegangen kommen, welches mir, als einem Fremden, etwas auffiel. Hier aber sieht niemand darnach. Sie saßen und sangen im Chore gerade wie die Mönche in ebendem Tone und mit gleichem Mechanismus...

Aus der Menge dieser Klöster, wozu noch vier Stifter, nämlich das Domstift, Liebfrauenstift, Moritzstift und das Paulstift kommen, läßt sich das unaufhörliche Läuten der Glocken erklären, welches man Tag und Nacht hört.

Die Zugehörigkeit zum Königreich Westfalen (1807-1815) führte 1810 zur Auflösung des Dom- und Liebfrauenstiftes. Als Pfarrkirche der Domgemeinde, deren räumlicher Kern gewissermaßen die alte Domburg und ehemalige Domimmunität ist, behielt der Dom damit eine einzige seiner früheren Bestimmungen. Die Liebfrauenkirche blieb dage-

Die Ober-Collegiat-Stifts-Kirche zu Unser Lieben Frauen, Kupferstich von Johann Matthias Haber, 1737. Die Ansicht belegt den noch im Osten und Süden anschließenden Friedhof mit seiner Wegeführung und Ummauerung.

gen einige Jahrzehnte unbenutzt, so daß sie in den dreißiger Jahren des 19. Jh. dem Verfall entgegenging. Mit der Wiederangliederung an Preußen wurden die halberstädtische Regierung und ihr Consistorium aufgehoben, denn die Oberbehörden der neugebildeten Provinz Sachsen hatten ihren Sitz nunmehr in Magdeburg. Die Kreis- und Garnisonstadt Halberstadt erlebte nach dem Eisenbahnanschluß im Jahr 1843 dann eine bemerkenswerte, industriell geprägte Blütezeit, die bis in das 20. Jh. hinein anhielt.

Die Liebfrauenkirche

Ältestes Bauwerk am Domplatz ist die Kirche des 1005 durch Bischof Arnulf gegründeten ehemaligen Kollegiatstifts Unser Lieben Frauen. Von der Platzmitte her gesehen liegt ihre Chorpartie im Blick, die drei Apsiden am Chorquadrum und den Nebenchören, das ausladende Querhaus. Die vier Türme sind zusammen mit den Türmen des Domes und der Martinikirche längst ein Wahrzeichen der Stadt geworden. Der mehr als mittelgroßen romanischen Basilika schließen sich im Westen die Stiftsgebäude

an (s. unten u. S. 21). Entgegen dem ersten Augenschein ist die Kirche kein einheitlich entstandener Bau. Eine 1899 nachgewiesene dreischiffige Krypta im Vierungsbereich gehört nach den Bauuntersuchungen von G. Leopold zu einer kleineren, wohl dreischiffigen Kirche, die als der Gründungsbau anzusehen ist. Der ungegliederte westliche Turmblock, einer der in Niedersachsen häufigen West-Quertürme, läßt in seiner veränderten Orientierung gegenüber dem Erstbau eine neue Planung erkennen, rechnet aber noch nicht mit der Breite des bestehenden Baues. Als diese vergrößerte Stiftskirche errichtet war, stand sie dem ottonischen Dom in seinen Ausmaßen nur wenig nach, in der Länge des Querhauses übertraf sie ihn sogar.

Die Wandflächen der Liebfrauenkirche sind aus einem kleinformatigen Quadermauerwerk gebildet, im übrigen ist der mit großen Fenstern versehene Bau weitgehend schmucklos. Damit gleicht er anderen Stifts- und Klosterkirchen in der weiteren Umgebung der Diözese - etwa denen der Benediktinerkirchen auf der Huysburg oder in Goseck bei Weißenfels -, die noch im 11. Jh. entstanden sind. Da

Links: Grundriß der ehemaligen Liebfrauen-Stiftsgebäude, Umzeichnung unter Verwendung einer Bauaufnahme von 1833.
Rechts: Liebfrauenkirche, Grundriß nach Bauabschnitten (Leopold 1992).

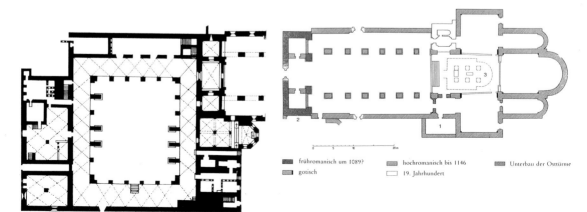

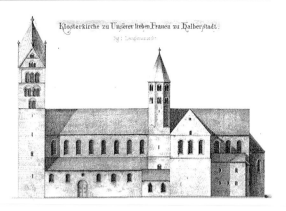

überliefert ist, daß Bischof Dietmar (reg. 1089) sein Vermögen zum Ausbau und der Erhaltung dieser Kirche gestiftet hat, könnte im Zeitraum danach der Neubau der Kirche entstanden sein. Ein Kennzeichen solcher früher Entstehung ist auch das ursprünglich durchlaufende Querhaus. Ähnliche Chorlösungen mit gleichlangen Haupt- und Nebenchören finden sich schon in der Mitte des 11. Jh. im Nordwesten des Reichs (z. B. in St. Georg in Köln, 1067 geweiht). In Halberstadt könnte die vor 1120 geweihte Paulskirche in der Nachfolge der Liebfrauenkirche gestanden haben, und auch die Ostteile der Kirche der regulierten Augustiner-Chorherren in Hamersleben mögen von der Ostlösung der älteren Kollegiatstiftskirche bestimmt worden sein - enge Verbindungen waren in der geistlichen Verwaltung des Bistums zwischen beiden Stiften gegeben. Hamersleben erscheint in seiner vielfach gegliederten hochromanischen Architektur als der fortgeschrittenere Bau - die Winkeltürme über den Ostjochen der Seitenschiffe dort könnten dann ihrerseits wieder auf Halberstadt gewirkt haben. Mit dem nachträglichen Bau der Osttürme ging in der Liebfrauenkirche wohl auch die Aufgliederung des Chores in einzelne Abschnitte einher. Geläut und Chordienst waren nunmehr anschaulicher miteinander verbunden. Es liegt nahe, die für das Jahr 1146 verbürgte Weihe der zuvor "kleinen und mißgestalteten" Kirche (parvula ac deformis) durch Bischof Rudolf auf diesen Umbau zu beziehen. Als Erneuerer der Kirche fand Rudolf später sein Ehrengrab an vornehmster Stelle der Kirche, mitten im Chor (s. S. 2). Im Außenbau erschien die Kollegiatstiftskirche jetzt dem Westwerk des Domes als ebenbürtiges Gegenüber, und so mochte dieser bedeutende Umbau in den Augen der Zeitgenossen als umfassende Erneuerung und Vergrößerung gelten.

Als im Jahr 1179 die Stadt eingeäschert wurde, hat sicher auch die Liebfrauenkirche Schaden genommen. Eine bauliche Veränderung der Folgezeit ist die Aufstockung des Westriegels (um 1200). Erst damals hat die Kirche ihre eindrucksvolle viertürmige Gestalt erhalten. Die Überhöhung des Westquerturmes durch zwei Aufsätze wurde später für den Weiterbau der übrigen Stifts- und Pfarrkirchen in der Stadt, den Dom eingeschlossen, vorbildlich: Die beiden Turmpaare wirken in ihrer Verschiedenartigkeit wie ein Lehrstück romanischer Architektur - die Türme am Querhaus als feingliedrige Glockenge-

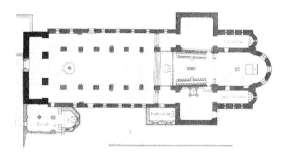

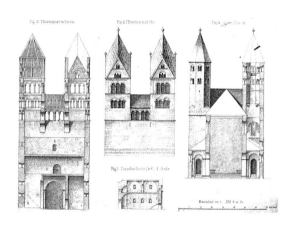

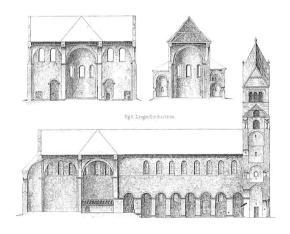

Liebfrauenkirche, Ansichten der Südseite und der westlichen Turmfront, Schnitte durch Türme und Langhaus (Die mittelalterlichen Baudenkmäler, Niedersachsen, hrsg. von dem Architecten- und Ingenieur-Verein für das Königreich Hannover, 1. 1862., Bl. 57).

Grundriß, um 1840. (Zeitschr. f. christl. Archäologie und Kunst 2, 1858, Taf. 11).

Ansicht des Inneren nach Osten.

Ansicht nach Westen.

häuse, die Westtürme über dem alten blockhaften Unterbau zuoberst in prächtige Fensterarkaden aufgelöst und von grundlegend anderen, mit ihren Gie-

Ansicht nach Osten, im Zustand der Restaurierung von 1848.

beln zugleich "moderneren" Turmhelmen abgeschlossen. Nach oder während der Fertigstellung der Westtürme hat man sich zu Beginn des 13. Jh. der umfassenden Ausgestaltung des Kircheninneren zugewendet - ersichtlich im frommen Wetteifer mit den Bau- und Ausstattungsarbeiten im Dom. Besonders frühe Verehrung scheint hier die gerade im Jahr 1200 heiliggesprochene Kaiserin Kunigunde genossen zu haben. Nachdem noch vor der Jahrhundertmitte der Neubau des Domes in Gang gesetzt wurde, haben die Kanoniker des Liebfrauenstifts, die auf den Zulauf des Volkes zu ihrer Kirche verweisen konnten, sicher an bauliche Veränderungen ihres Gotteshauses gedacht, wie sich aus einer Reihe von Ablaßgewährungen nahelegt. Eine davon, um 1290 erlassen, war in Form einer gravierten Messingtafel am Südostportal der Kirche veröffentlicht gewesen (heute im Domschatz). Gebaut wurde aber offenbar eher an den Stiftsgebäuden als an der Kirche, zumal das Stift in diesen Jahren von finanziellen Nöten geplagt wurde.

An dieser Stelle ist auf einen einzigartigen Baubefund hinzuweisen, die Reste einer Architekturfassung, die noch im 13. Jh. entstanden sein wird: Zwar läßt die heutige steinsichtige Erscheinung des Bauwerks, die sich aus der Abwitterung einer vermutlich dünnen Tünchschicht über dem Quadermauerwerk ergeben hat, von einer den Bau idealisierenden Bemalung nichts mehr erkennen. Diese bemalte Oberfläche, ein gemaltes Quaderwerk vielleicht, muß aber vorausgesetzt werden, weil eine mittelalterliche Bemalung der Turmdächer (wie solche auf frühen Gebäudedarstellungen oft angedeutet ist) bis zur Neueindeckung der Türme in den Jahren 1975-1980 noch großflächig bestanden hat: Den langen Bahnen der Bleieindeckung waren große Blattranken aufgemalt, die der erste gedruckte Kirchenführer von 1737 noch als "allerley Laubwerck" erwähnt. Sicher war die alte Stiftskirche mit dieser Bemalung der in ihrer Bauornamentik "blühenden Kathedrale" einen Schritt weit angenähert. Berichtet wird im mittleren 19. Jh. noch von einer auf ein Turmdach gemalten "schwebenden Marienfigur". Ganz unmittelbar trat dem Gläubigen, der die Kollegiatstiftskirche besuchte, das Bild der thronenden Mutter Gottes dann über dem Südostportal (s.o.) entgegen: Hier, zum Domplatz hin, sind noch heute die Reste des gemalten und stuckierten Bogenfeldes zu sehen: Maria, die Schirmherrin dieser Kirche, ihr zur Seite stehend die Heiligen Katharina und Kunigunde.

Das Innere der flachgedeckten Pfeilerbasilika, in der Abfolge von basilikalem Langhaus, Querhaus und Ostteilen streng und feierlich gebaut, erscheint mangels jeglicher Bauzier nüchtern - ein Raumeindruck, der nicht zuletzt das Ergebnis der Wiederherstellungen des Baues im 19. und 20. Jh. ist (s. S. 16). Dem älteren Westbau ist das Langhaus in möglichster Breite angefügt. In den Abmessungen seiner Pfeiler deutet sich ein Stützenwechsel an. Gegenüber dem Mittelschiff ist der Chor leicht erhöht und zum Querhaus hin durch Schranken abgeschlossen. Damit haben die Querhausarme mit den vom Sanktuarium streng getrennten Nebenchören einen räumlichen Eigenwert erhalten (der südliche Nebenchor

Stufen zum Sanktuarium; spätromanische steinerne Brüstung; im Blick nach Nordosten das spätgotische Chorgestühl.

Das Bogenfeld des Südostportals mit den Fragmenten der stuckierten Bemalung: die thronende Muttergottes und zwei stehende gekrönte Heilige, wohl Katharina und Kunigunde. 1. Viertel des 13. Jhs., später übermalt.

ist zweigeschossig angelegt; das Obergeschoß ehemals Archiv oder Bücherei?). In den Querhausarmen ist auch der nachträgliche Einbau der Kreuzgratwölbung (überschnittene Fenster) gut zu erkennen. Von der im 19. Jh. aus statischen Gründen entfernten Mittelschiffswölbung stammen die Schlußsteinreliefs an den Ostwänden der Seitenschiffe. Der ehemals den Chor im ersten Langhausjoch nach Westen hin abschließende Lettner verschwand mit der Einführung des evangelischen Gottesdienstes im Jahr 1604 - seither ersetzt ihn ein schönes geschmiedetes Eisengitter (s. S. 16). Im 18. Jh. verdeckte dann eine große Prieche, der Kirchenstand der Stiftsherren, diesen Eingang des Chorbereichs. Nach den Forschungen von G. Leopold entsprach der Lettner in seinem Aufbau dem (gleichfalls nicht erhaltenen) spätromanischen Domlettner. Über seine Bildausstattung ist nichts bekannt. Unter Berücksichtigung des Marienpatroziniums und der übrigen, im Bau nachweisbaren Bildwerke dieser Zeit wird zu überlegen sein, ob ein Bild der Marienkrönung, wie es in der Neuwerkskirche von Goslar aus späteren Jahren erhalten ist, die Lettnerkanzel geschmückt hat.

Die Stuckierung der seitlichen Chorschranken (s.S. 22-25) zählt zu den Hauptwerken der um und nach 1200 in Deutschland entstandenen Skulptur. Anders als es die ältere Stuckplastik in dieser Land-

Chor, Querhaus und Türme der Liebfrauenkirche, vom Domplatz her gesehen

Die Liebfrauenkirche im Blick von Südosten auf die Türme und das Langhaus. Am südlichen Westturm der Ansatz des Klausur-Ostflügels mit dem Chor der "Taufkapelle", im Winkel von Querhaus und Südostturm die Barbarakapelle.

*Die Hauptapsis, Figurengruppe einer Deesis (Christus zwischen Maria und Johannes d.T., um 1400),
in den über dem Ostfenster eingebauten Nischen.*

schaft (z. B. die "Emporenbrüstung" aus Kloster Grö-
ningen im Berliner Bode-Museum) zeigt, gelang es
den in der Liebfrauenkirche tätigen Meistern, die
Vorteile des bildsamen Werkstoffes für eine jugend-
frische Individualisierung ihrer Relieffiguren und zu
Gunsten der Vielfalt des ornamentalen Details zu
nutzen. Unübersehbar ist die Teilhabe an der das
Menschenbild damals gleichsam wiederentdecken-
den Verwendung des antiken Bild-Erbes, wobei das
Vorlagengut ersichtlich nicht unbegrenzt war. Ge-
rüst der Gliederung ist eine rundbogige, feingestufte
Arkatur, die die beiderseits sieben unterlebensgro-
ßen Figuren, Christus und Maria jeweils inmitten der
Apostel, einfaßt. In der Schatzkunst, den Reliquien-
schreinen und Tragaltären, ist diese Anordnung
vorgebildet. Den frontal thronenden, hoheitsvollen
Hauptfiguren sind zwei Apostel zugewandt, während sich seitlich dieser Mittelfiguren noch jeweils
eine Dialoggruppe ergibt - von links nach rechts an
der Südschranke die Apostel Jakobus d. J., Philippus,
Jakobus d. Ä.; Johannes, Simon und Judas Thaddäus,
an der Nordschranke Matthias, Bartholomäus, Petrus; Andreas, Matthäus und Thomas (auf der Rahmung namentlich bezeichnet). Der kleinteilige Ab-
schlußfries der südlichen Schranke mit seinem
Wechsel von pflanzlichen und figürlichen Reliefs ist
ein prachtvolles Zeugnis der Aufnahme antikisieren-
der, zu dieser Zeit christlich ausgedeuteter Bildmo-
tive (u. a. ein Reiter im Kampf gegen einen Löwen,
Zentauren, ein Löwe, der ein Kalb reißt, Mischwe-
sen). Die partienweise noch erhaltene Bemalung
trug wesentlich zur festlichen Erscheinung dieser
Bilder bei. Wie von K. Riemann nachgewiesen wurde, waren Maria und Christus gegenüber der Apostelreihe farbig hervorgehoben. Anders als bei

Skulpturen hochromanischer Zeit sind die Inkarnate, etwa die Wangen, in farbigen Übergängen angelegt. Auf den zeitgenössischen Betrachter dürften
die in so vielfältigen Stellungen modellierten Apostel außerordentlich lebensnah gewirkt haben. Der
Text des Credo, der auf den Spruchbändern erwartet
werden könnte, ist nicht belegt.

Seit fast einem Jahrhundert stehen die Schranken
im Blickpunkt der kunstgeschichtlichen Forschung.
Dabei ging es, vereinfacht gesagt, um die Frage, auf
welchem Wege die Gotik in den mitteldeutschen
Raum Eingang gefunden hat: Die Verschmelzung
westeuropäischer und byzantinischer Vorbilder
zeigt sich in der Zeit um 1200 - u.a. im Gefolge des
4. Kreuzzuges 1204 - allenthalben, und da nur wenige Werke datiert sind, bereitet die stilkritische Zu-
weisung innerhalb einer nicht geradlinig verlaufenden "Entwicklung" Schwierigkeiten - die Folge sind
kontroverse Datierungsvorschläge und Einordnun-
gen, etwa in der Frage des Verhältnisses der Halberstädter Schranken zu der Schranke der Hildesheimer Michaeliskirche mit den Standfiguren einer
Maria-Apostel-Reihe. In Halberstadt stehen sich offenbar einzelne Werke zeitlich näher, als es ihr "Stil"
zunächst denken läßt. Das dürfte für die Großkreuze
in Dom (s. S. 57) und Liebfrauenkirche (s. S. 25)
gelten, und technisch nachweisbar ist dieser Sach-
verhalt für den einheitlich entstandenen, in seiner figürlichen Bemalung aber heterogen erscheinenden
"Sakristeischrank" aus der Liebfrauenkirche (im
Domschatz) (s. S. 78). Für die Datierung der Schranken ist immer noch die Beobachtung hilfreich, daß
der "Zackenfaltenstil" des in Niedersachsen um
1211/1213 ausgeschmückten Landgrafenpsalters
(Stuttgart, Landesbibliothek) bei den Schrankenre-

Nord- und Ostflügel der Stiftsgebäude und die Westtürme der Liebfrauenkirche.

Die Muttergottes von der südlichen Chorschranke, darüber der Rankenfries mit den figürlichen Füllungen.

Christus mit den Aposteln Petrus und Andreas; Stuckreliefs der nördlichen Chor-schranke, darüber Halbfiguren von Engeln, in die Zwickel der Bögen gemalt.

Hl. Andreas, einer der thronenden Apostel der nördlichen Chorschranke. Die vorzüglich erhaltene Stuckskulptur trägt noch die alte, in spätmittelalterlicher Zeit aufgefrischte Bemalung. Das Rot des Mantels war ehemals mit einem Sternenmuster verziert. Das Grün des Gewandes hat sich, wie das der Arkadenrahmung, bräunlich verfärbt. Die Gründe waren ursprünglich blau gefaßt.

Oben: Blick in die Vierung und das nördliche Querhaus. Die südliche Chorschranke mit den Stuckreliefs der Muttergottes und der Apostel, abgeschlossen von einer hölzernen Bogengalerie. Im westlichen Triumphbogen hängt der spätromanische Kruzifixus (1993). -
Unten: Nordschranke; der Apostel Bartholomäus.

liefs noch nicht auftaucht, die (durch Pausen über-lieferte) spätromanische Ausmalung des Raumes (s. S. 28) diese charakteristische Art der Gewandbildung aber kennt.

Das Bildprogramm der Schranken und des Lettners hat in der - ursprünglich auf einem Balken stehenden - Triumphkreuzgruppe seine Überhöhung gefunden. Anders als im Dom ist hier nur der Kruzifixus erhalten. Der überlebensgroße Körper des Erlösers scheint schwerelos vor dem gewaltigen Kreuz zu stehen, das Haupt mit offenen Augen leicht geneigt und damit ehedem Maria zugewendet, die also vermutlich nicht - wie die Maria der Domkreuzgruppe - in Schmerz versunken war, sondern sich ihrerseits Christus zugewandt haben könnte (vgl. die Wechselburger Kreuzgruppe). Die genannte Ausmalung hat dann die theologische Sinngebung mit der Hinzufügung der Großen und Kleinen Propheten im Sanktuarium und im Langhaus und nochmals mit der thronenden Maria - in der Hauptapsis -

weitergeführt: Als Vorläufer der Apostel verwiesen die Propheten mit ihren Spruchbändern über die Gegenwart hinaus auf die Wiederkunft Christi.

Das zweireihige Gestühl der Stiftsherren und ihrer Vikare stand im "unteren Teil des hohen Chores", der Vierung - es ist ein Opfer des Angriffs von 1945 geworden. Bei Gelegenheit des Domchorneubaues (1372) hatte der als Erneuerer der Kirche verehrte Bischof Rudolph (gest. 1147) hier im Chor inmitten der Klerikergemeinschaft seine letzte Ruhestätte gefunden - zunächst wohl noch ohne Bildnisdenkmal, denn die heute auf das Grab verweisende Bronzeplatte mit der kleinen Standfigur des segnenden Bischofs stammt aus dem 3. Viertel des 15. Jh. Steinerne Grabdenkmäler sind in einer Auswahl und Aufstellung des mittleren 19. Jh. an den Außenwänden der Seitenschiffe zu finden. Im 15. - 18. Jh. entstanden, erinnern die ältesten unter diesen Grabplatten an Würdenträger und Wohltäter des Stifts. Letzte Zeugnisse der offenbar ansehnlichen barokken Ausstattung dieser Kirche sind einige Grabdenkmale für höhere Mitglieder der Halberstädter Regierung. Unter den einzelnen in der Kirche aufbewahrten Kunstwerken ist ein großes, von einem Baldachin beschirmtes Vesperbild aus dem frühen 15. Jh. hervorzuheben. Von vorzüglicher Qualität

Der Triumphkruzifixus der Liebfrauenkirche.

Zweitüriger quergeteilter Schrank mit Drachenfiguren als Abschluß des Giebels, um 1300. Rechts im Bild der Ansatz der südlichen Chorschranke (Jakobus d. J.).

Erhebung der hl. Maria Magdalena, Steinrelief (beschädigt) an der Ostwand des Südquerhauses, vielleicht aus der im Jahr 1411 gebauten Maria-Magdalenen-Kapelle, nach Mitte des 15. Jh.

Die Barbara-Kapelle , Inneres im Blick nach Osten mit dem 1442 geweihten Altar.

Unten: Barbara-Kapelle. Auf die Bohlenwand im Osten ist Christus als Weltenrichter gemalt, darunter die Stifter aus der Familie von Plötzke mit ihren Schirmheiligen Jakobus und Barbara. Der Altar im geschlossenen Zustand, mit den Standfiguren der hll. Stephanus und Andreas, Johannes d. T. und Bartholomäus .

sind auch mehrere spätgotische Heiligenfiguren aus Stein, um 1500 entstanden. Die kostbarsten Ausstattungsgegenstände der Kirche sind seit längerer Zeit in der Sammlung des Domschatzes zu finden (s.S. 70, 78f.).

Von den beiden unmittelbar südlich an die Kirche anschließenden Kapellen verdient die Barbarakapelle (s. S. 19) wegen des Zusammenhangs von Raumausmalung und Altarretabel besonderes Interesse - die Stiftung für den Altar der Heiligen Jacobus d.Ä. und Barbara ist für das Jahr 1442 überliefert. Die Kreuzigung auf dem Hauptbild dieses Altars und die thronenden Gestalten Christi und Mariens auf den blauen Gewölbekappen scheinen das Thema des Kircheninneren aufzunehmen, erweitert um Evangelisten, Kirchenväter, die Patrone dieser Kapellenstiftung und die in dieser Zeit so beliebten musizierenden Engel.

Die sogenannte Taufkapelle ist der eindrucksvollste Raum der ursprünglich im Süden angebauten Stiftsklausur. Der um 1170 entstandene, in vier Jochen über einer Mittelsäule (s. S. 29) gewölbte Raum in den reifen Formen der niedersächsischen Hochromanik ist um ein gotisches Polygon nach Osten hin erweitert (s. S. 19). Seitdem in der Stiftskirche evangelischer Gottesdienst eingerichtet worden war, diente diese Kapelle den katholischen Domherren

Barbara-Kapelle. Im geöffneten Altar Kreuzigungsgruppe mit den Titelheiligen und Stiftern, auf den Flügeln die Heiligen Reinhold und Georg, Dorothea und Hedwig.

als gottesdienstliches Refugium. Die hier stehende Taufe, ein schöner heimischer Bronzeguß des Meisters Matthias Kipmann, hatte bis 1845 ihren Platz im zweiten westlichen Langhausjoch. Sie ersetzte dort ein älteres Werk, vielleicht die kleine kelchförmige Bronzefünte, die seit dem 19. Jh. im Dom nachweisbar ist und heute im unteren Domremter steht (s. S. 88).

Die schon 1833 unter der Mitwirkung von Karl Friedrich Schinkel konzipierte, 1840-1845 ausgeführte Wiederherstellung der damals verfallenden Kirche zählt zu den frühen, unter denkmalpflegerischen Gesichtspunkten vorgenommenen Instandsetzungen. Neben der baulichen Sicherung ging es um die Beibehaltung und "archäologisch" richtige Wiederherstellung der romanischen Erscheinung dieser Kirche, um den Neuaufbau des baufälligen Nordostturmes, die Korrektur der Apsidendächer, der Giebelschrägen und Firsthöhen, die Wiederherstellung der Gesimse. Ferdinand von Quast (1808-1872), der erste preußische Konservator, wurde hier schon 1842 beratend tätig. Entgegen seiner Stellungnahme wurde die damals noch erhaltene ba-

rocke Ausstattung weitgehend entfernt. Angesichts der schon um 1825 entdeckten spätromanischen Raumausmalung (s. S. 28) erwies sich diese Kirche für Quast als das ideale Beispiel einer durch Malerei vollendeten mittelalterlichen Architektur. Gegenüber den Originalen blieb allerdings das Ergebnis der als Kopie gedachten Neuausmalung weit zurück - schon die Zeitgenossen waren davon nicht befriedigt. In Übereinstimmung mit der Reformierten Gemeinde, der die Kirche seit 1848 zugewiesen ist, wurde diese romanisierende Ausmalung mit der Wiederherstellung von 1953 aufgegeben und der Raum weiß ausgetüncht, die Architekturglieder grau abgesetzt. Gegenwärtig ist eine erneute Instandsetzung des Inneren im Gang.

Der Besucher sollte nicht versäumen, den Kreuzhof des ehemaligen Stifts zu besuchen. Ungeachtet der vielfachen Umbauten, mit denen das klosterähnliche Geviert den Bedürfnissen der Stiftsverwaltung und später verschiedenen Unterrichtszwecken angepaßt worden ist, hat sich die mittelalterliche Erscheinung dieser seit dem 12. Jahrhundert entstandenen Gebäude im Kern bewahrt, und ihre räumli-

Oben: Umrißpausen (1842) von der spätromanischen Ausmalung. Die Propheten Hesekiel, Jonas und Hosea.

Links: Längsschnitt durch das östliche Mittelschiff: Querhaus und Chor im Blick nach Norden mit den ersten Entwürfen zur Wiederherstellung der figürlichen und dekorativen Ausmalung. Um 1845.

che Verbindung mit dem romanischen Westriegel der Liebfrauenkirche ist von besonderem Reiz (s. S.21). Zur alten Ausstattung des überwölbten Kreuzgangs gehört ein spätgotisches Kreuzigungsrelief (1508). Neben nachmittelalterlichen Grabdenkmälern, die hier Aufstellung gefunden haben, hat der Kreuzgang eine Anzahl steinerner und hölzerner Zierglieder von Wohnhäusern (15.-17. Jh.) aufgenommen, eine Erinnerung an die im 2. Weltkrieg weitgehend zerstörte Profanarchitektur der Oberstadt.

Der Petershof

Der ehemalige Wohn- und Amtssitz der Bischöfe liegt unmittelbar neben dem Liebfrauenstift im nordwestlichen Winkel des Domplatzes. Im Blick von der Unterstadt her erscheint er als mächtige Baumasse, da seine Keller - wie im spätmittelalterlichen Burgenbau üblich - über das Plateau des Berges hinausgebaut worden sind. Daß die im stumpfen Winkel hier aufeinandertreffenden beiden Flügel noch Teile des Gründungsbaues von 1052 enthalten, ist nach bisheriger Kenntnis nicht vorauszusetzen, jedoch auch noch nicht abschließend unter-

Unten: Der östliche Kreuzgang im ehemaligen Liebfrauenstift, nach Norden.

Oben: Die sogen. Taufkapelle. Mittelpfeiler und Südwand im Blick nach Südwesten (1992).

*Der Petershof,
in der
Ansicht vom
Grudenberg.*

*Unten: Der Treppenturm am Hauptflügel des
Petershofes. Über dem (Sitznischen-) Portal das
Wappen Bischof Sigismunds II. von Hohenzollern,
datiert 1552, dem Jahr seines Regierungsantritts.*

sucht. Im mittleren 11. Jh. hatte Bischof Burchard I.
in diesem Teil des suburbiums, der nicht dem Liebfrauenstift zugewiesen worden war, eine "curtis
episcopalis", die Curia S. Petri, erbauen lassen. Dieses Patrozinium zeigt die Bestimmung des Anwe-
sens als neue bischöfliche Residenz an. Mit Ausnahme der Kapelle wurden die mittelalterlichen Bauten
von Bischof Sigismund II. (1552-1566) durch einen
glanzvollen Neubau ersetzt. An der Hoffront bezeugen noch der feingliedrige Erker und vor allem der
Treppenturm mit seinem zierlichen Sterngewölbe
diese Erneuerung von 1552. Im Obergeschoß hat
sich ein großer Saal befunden; eine riesige Balustersäule, die sein Deckengebälk zu stützen hatte, ist
sichtbar geblieben (s. S. 31), doch von der sie umgebenden Inneneinrichtung zum Fremdkörper ent-
würdigt worden. Weitere, überwölbte Räume des
Hauses sind unzugänglich. Es war vor allem die
Nutzung als Sitz des Land- und Stadtgerichts (seit
1823), die der Baugruppe die nüchternen Veränderungen wie den Verlust der Zwerchhäuser und Giebel, die Verlängerung des Westflügels oder die Aufstockung der Peterskapelle eingetragen hat.

Die Peterskapelle (nicht öffentlich zugänglich) ist
ein bis nach Osten zur Peterstreppe hin reichender
Saalbau mit eingezogenem, polygonal geschlossenen Chor (s. S. 31). Ihre drei weitgespannten Kreuz-
gratgewölbe im Schiff dürften, nach den Gewölbe-
konsolen zu urteilen, noch der Zeit um 1300 angehören, während der Chor mit seiner auf Diensten
lagernden Rippenwölbung jünger erscheint. Im Jahr
1665 war die Kapelle der deutsch-reformierten Gemeinde übergeben worden. Von der damals entstandenen barocken Ausstattung hat sich nichts erhalten.

Oben: Petershof, die profanierte Peterskapelle: der aufgestockte Saalraum mit dem Chor, von Südosten her gesehen.

Steinerne Balustersäule und Deckengebälk im ehemaligen Saal des Petershofes im 1. Obergeschoß des Westflügels, in der Neugestaltung von 1993.

Oberer Treppenabschnitt und Rippensternwölbung im Treppenturmgehäuse. Im Schlußstein Stephanusfigur als Wappenhalter, datiert 1554.

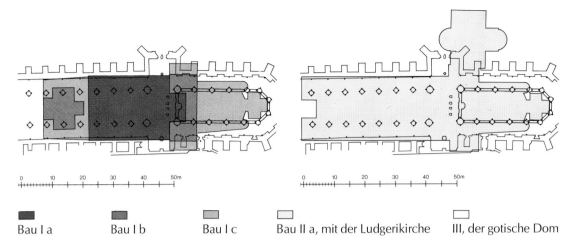

Bau I a   Bau I b   Bau I c   Bau II a, mit der Ludgerikirche   III, der gotische Dom

Die Vorgängerbauten des heutigen Domes, Grundflächen in schematischer Darstellung
(vgl. die Abbildungen rechts).

Die Domkirche St. Stephanus und St. Sixtus

Die seit dem 13. Jh. errichtete Kirche verkörpert im Anspruch ihrer Architektur, dem an das westliche Doppelturmpaar kreuzförmig anschließenden Langhaus und dem gleichfalls basilikal aufgebauten Chor Würde und Rang des ehemaligen Hochstifts. Ungeachtet allen Formenwandels im einzelnen, verbindet das Strebesystem des Außenbaues, die Reihung der Joche und die den Ansatz des Daches umziehende Galerie die verschiedenen Bauteile. Vereinheitlichend wirkt auch der warme Ton der Kalksteinquader aus den Huybergen, mit denen der Dom erbaut ist - heller sind nur die oberen, im späteren 19. Jh. neu gebauten Turmobergeschosse. Von den im Süden angebauten Domstiftsgebäuden wurden im 3. Viertel des 19. Jh. die spät- und nachmittelalterlichen Bauteile zu Gunsten einer denkmalhaftmonumentalen Gesamterscheinung der Kathedralkirche entfernt. Im nördlichen Kreuzgangflügel sind die ältesten noch aufrecht stehenden Mauern des Domes zu sehen.

Den von 1952 bis 1955 von G. Leopold in Zusammenarbeit mit F. Bellmann durchgeführten Grabungen ist die Kenntnis der Vorgängerkirchen des heutigen Domes zu danken: Als ältester Kirchenbau wurde ein breites, dreischiffiges Gebäude ermittelt, das mehr als die Osthälfte des heutigen Langhauses einnahm. Seine schmalen Fundamente trugen keine Türme, doch war im Osten ein querhausähnlicher Bauteil mit rechteckigem Altarraum zu erkennen (Bau Ia, nach Leopold, s. S. 33). Diese Kirche wurde bald nach Osten und auch nach Westen hin erweitert: eine Krypta und vermutlich seitliche Osttürme weisen auf vermehrte liturgische Funktionen, so daß dieser Bau die zur Bischofskirche vergrößerte Missionskirche gewesen dürfte - der erste, unter Bischof Thiatgrim (827-840) gebaute Halberstädter Dom

(Bau Ib). Ein kleiner Zentralbau unmittelbar westlich davon war streng auf die Achse der Kirche bezogen. Diese kleine Reliquien- oder Memorialkapelle wurde dann in den nächstfolgenden, weitreichenden Umbau einbezogen: Der für das Jahr 859 überlieferten Weihe des karolingischen Domes ging nämlich die Vergrößerung der bestehenden Kirche auf ihre doppelte Länge voraus (Bau Ic). Somit wies die Halberstädter Bischofskirche bereits in der Mitte des 9. Jh. eine Ausdehnung auf, die nahezu der gesamten Innenraumlänge des späteren gotischen Dombaues entsprach. Die Ostteile bestanden nunmehr aus einem großen Querhaus, gefolgt von einem langen, apsidial schließenden Chor über einer Krypta mit Umgang, seitlichen Stollen und einer kreuzförmigen, äußeren Scheitelkapelle, ein vielräumiger Baukörper, wie er in dieser Zeit ähnlich auch im Hildesheimer Dom (geweiht 872) und der Stiftskirche in Corvey (vor 873) errichtet worden ist. Im Westen war an die alte Giebelwand ein im Grundriß fast quadratischer Bauteil angefügt worden. Diesen haben die Ausgräber als Westwerk bestimmt. Die wenigen erhaltenen Beispiele dieses vorromanischen Bautypus finden sich im rheinisch-westfälischen Raum (Corvey u. a.), und von diesen etwas jüngeren Bauten her ist eine gewisse Vorstellung von diesem großen Baukörper als westlichem Abschluß der Kirche zu gewinnen: Mit ihm wurde der Halberstädter Bischofssitz wahrscheinlich erstmals wahrzeichenhaft in der Landschaft sichtbar.

In dem nach 965 begonnenen Neubau ist die alte Krypta in ihrer charakteristischen Form wiedererstanden (974 geweiht). Ihr Hauptaltar war der Jungfrau Maria gewidmet. Möglicherweise glich dieser neue, der ottonische Dom (Bau II) auch noch in anderen Merkmalen seinem karolingischen Vorgängerbau - jedenfalls legt das Fundstück eines Langhauskapitells solche Überlegungen nahe. Von gleicher Breite wie die ältere Kirche, zeichnete sich das nach Westen hin längere Langhaus jetzt aber durch einen Stützenwechsel aus, wie er sich im etwa gleichzeitigen Bau der Stiftskirche von Gernrode bis heute erhalten hat. Ein System von Überfangbögen, wie es hier von den Abmessungen der Basen her erschlossen worden ist, gliedert bis heute auch die Langhauswände der am nördlichen Harzland gelegenen ehemaligen Benediktinerinnenkirche von Drübeck. Anstelle des karolingischen Westwerkes war mit dem größeren ottonischen Neubau das alte zentrale Grab, das einst die kleine Memorialkapelle umgeben hatte, wiederum von einem "chorus" umgeben worden - der hier stehende Hauptaltar diente der Verehrung des hl. Sixtus, des zweiten Patrons der Bischofskirche. Im Inneren dieses Westbaues, der 1235 als Turm, turris, bezeichnet wird, sind Stützen einer Arkatur der Längswände nachgewiesen. So stellen wir uns einen Raum wie das zweite Westwerk der Kölner St. Pantaleonskirche (um 1000) mit dem Emporengeschoß über der Portalvorhalle vor, wenn wir bei Thietmar von Merseburg in seiner Chronik für das Jahr 1013 lesen, daß der Halberstädter Bischof Arnulf, "im Westteil des Münsters auf der obersten Stufe" thronend, in königlichem Auftrag Gericht hielt. Die Mittelempore wird auch das in der Weihenachricht von 992 genannte, vom Mainzer Erzbischof den Erzengeln, voran Michael, geweihte "supremum oratorium" gewesen sein. Das in einer tiefen Nische liegende Westportel wurde beidseits von zwei "Annexen" eingefaßt. In ihnen lagen wohl die Treppen zu den Emporen.

Nachdem im Stadtbrand von 1179 auch der Dom ausgebrannt war, muß seine Wiederherstellung unverzüglich in Gang gesetzt worden sein.

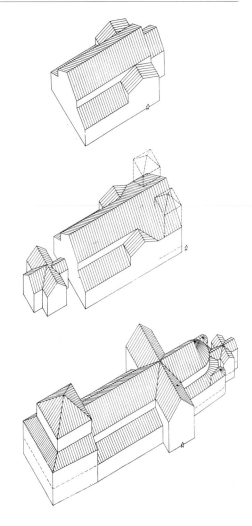

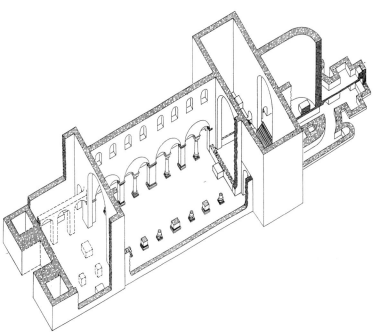

Oben:
Missionskirche des Bischofs Hildegrim, Rekonstruktion von G. Leopold 1984 (Bau Ia).
/
Erweiterungsbau Bischof Thiatgrims (Bau Ib), Rekonstruktion von G. Leopold 1984.
/
Der karolingische Dom Bischof Hildegrim II. (vor 859; Bau Ic), Rekonstruktion von G. Leopold 1984.

Links:
Der ottonische Dom (Bau IIa), Rekonstruktion von G. Leopold 1984.

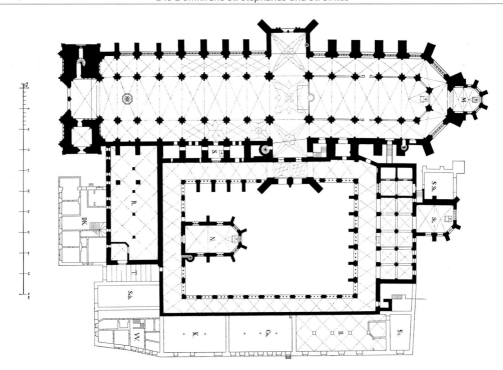

*Grundriß des Domes und der Domstiftsgebäude, vor 1865. M = Marienkapelle, S = "Sakristei",
R = Remter, N = Neuenstädter Kapelle, St = Stephanuskapelle. Weitere Stiftsgebäude (im Grundriß hell)
bis 1868 abgebrochen, u. a.: St = Ständestube, St. Pfarrstube, T = Spendtreppe, DK = Domkeller.
Nach Döring 1902.*

*Der ottonische Dom mit spätromanischer Einwölbung und der Ludgerikapelle, Grundriß.
Nach G. Leopold 1984.*

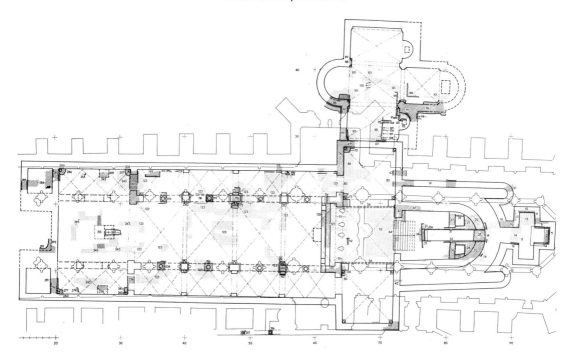

Links: Die Domkirche St. Stephanus und St. Sixtus, Ansicht von Nordwesten mit den 1858-1861 hergestellten Turmabschlüssen. Aufnahme von 1882.

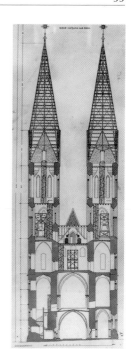

Rechts: Schnittzeichnung zum Neuaufbau der Domtürme in einer Höhe von fast 92 Metern, gez. von Hugo Köhler, 1896 (Landeshauptarchiv Magdeburg, Rep. C. 35, Halb. I. Nr. 35/24).

Unten: Die Westtürme des Domes, vorn das 1992 errichtete Mahnmal zum Gedenken an die Verschleppung der jüdischen Bürger von Halberstadt.

Eine für Bauwerke dieses Ranges nunmehr unverzichtbare Aufwertung, die (spätromanische) Einwölbung des bis dahin noch flachgedeckten Mittelschiffs, folgte unter Bischof Konrad von Krosigk; die Neuweihe fand aber erst im Jahr 1220 statt. In diesen Jahrzehnten entstand auch die bedeutende neue Ausstattung. Von dieser wurden nachfolgend einige besonders kostbare Werke in den gotischen Neubau des Domes übernommen - mit dem spätromanischen Taufstein (s. S. 54) und der Triumphkreuzgruppe (s. S. 57) sind damit zugleich liturgische Hauptstücke des alten Domes bis zur Gegenwart am alten Ort erhalten geblieben. Man wird sich den wiederhergestellten und gewölbten ottonischen Dom als großes und würdiges Gotteshaus vorstellen müssen. Am nördlichen Querhaus schloß die bischöfliche Hauskapelle St. Ludger an (1071 unter Bischof Burchard II. errichtet; vgl. die erhaltenen Zentral-Kapellen an den Domen von Speyer und Mainz).

Die Weihe von 1220 lag noch nicht zwei Jahrzehnte zurück, als das Domkapitel und Bischof Ludolf von Schladen (1236-1241) einen Neubau in Gang setzten, wie aus einem (bei Gelegenheit der Mainzer Domweihe 1239 verbrieften) Ablaß hervorgeht. Bauschäden sind nicht überliefert, und so dürfte das Vorhaben, einen in Größe und Bauweise anspruchsvolleren Dom hier zu errichten, von den großen Dom-Neubauten und -Erweiterungen in Mainz, Bamberg und Naumburg angeregt und nicht zuletzt in der alten Konkurrenzsituation zu Magdeburg (Domneubau ab 1209) begründet gewesen sein. Die Bauarbeiten begannen ungewöhnlicherweise nicht mit einer Erneuerung der Ostteile, sondern mit neuen Westtürmen westlich der bestehenden Kirche. Der alte Dom konnte daher ohne weitere Beeinträchti-

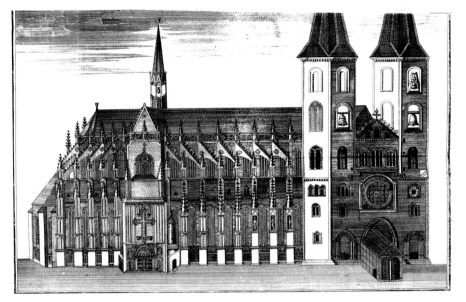

gungen genutzt werden. Im Plan des Bauablaufs lag es, sein Westwerk als ersten Bauteil abzubrechen - man wird vermuten können, daß der alte, die zeitweilige Anwesenheit des Königs bedeutungsvoll spiegelnde Zweck dieses Bauteiles sich erübrigt hatte und andererseits liturgische Funktionen wie der Standort des Sixtusaltars im Neubau eine veränderte Ordnung finden sollten. Da von der Neubauplanung nur diese Türme ausgeführt wurden - sie bilden die ältesten zusammenhängenden Bauteile des heutigen Domes - besteht zwar Klarheit über die Querschnittsproportionen des geplanten Langhauses, offen ist dagegen, wie der Ostabschluß und der Aufriß des Inneren und Äußeren gedacht waren.

Eingefaßt von seitlichen Lisenen und abgeschlossen von einem kräftigen, über dem großen Rosenfenster angehobenen Rundbogenfries, ist der untere Turmabschnitt als breitgelagerter Westriegel angelegt, der von den überaus hohen, rechteckigen Turmkörpern überlastet zu sein scheint - ein Eindruck jedenfalls, der von der Ausformung der großen Turmfenster und der Turmhelme begünstigt wird: Während das unterste Geschoß der Turmschäfte und das Glockenhaus dazwischen im Kern noch dem mittleren 13. Jh. angehören, sind die oberen Turmgeschosse und vollends die Dachabschlüsse ein Werk der Wiederherstellung von 1882-1896 (s.S.35). Als Erfindungen des 19. Jh. geben sich auch die Oberlichter des Hauptportals und die Maßwerkrose des Rundfensters zu erkennen (s. S.36 u.). Die Portalzone war nahezu in der gesamten Turmbreite mit einer Vorhalle versehen (Reparaturnachricht von 1376/67; nach Schubert 1977). Vermutlich war sie durch den Einsturz einer Turmspitze im Jahr 1513 schwer beschädigt und in der Folge abgebrochen worden. Ihre Ansätze für Bögen und Rippen lassen erkennen, daß sie dreischiffig und nach den Seiten hin offen ausgebildet war. Der Übergang vom Ansatz ihrer Wölbung zum Sichtquadermauerwerk verläuft nach außen hin fallend, so daß mit einiger Wahrscheinlichkeit ein Walmdachabschluß anzunehmen ist, zumal dann das Radfenster nicht überschnitten gewesen sein muß.

Westportal und Rundfenster (nach Lucanus 1837).

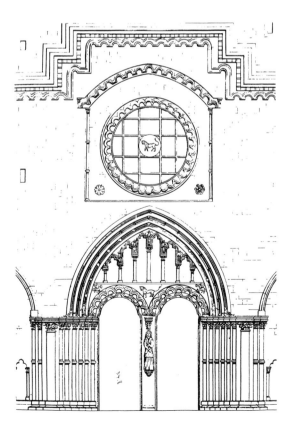

Westliche Doppelturmfassaden mit rechteckigen Türmen waren in der Landschaft längst üblich, wie der Blick auf die Stiftskirche von Quedlinburg zeigt. In der Zeit um 1200 erscheint die zweitürmige Westfassade dann vielerorts und in einigen Landschaften, wie dem Niederrhein, bevorzugt als Merkmal bedeutender Stifts-, Pfarr- und Klosterkirchen. In Halberstadt beansprucht der Westriegel aber gegenüber dem Langhaus eine größere Breite, und darin gibt sich eine neue Bedeutung dieses Baukörpers kund. Im Grundriß (s.S.34) ist zu sehen, daß sich der Innenraum zwischen den beiden Türmen nach Osten hin mit dem Langhaus verbindet; das Eingangsjoch hinter dem großen Westportal öffnete sich hier zum (in der ersten Planung niedrigeren) Mittelschiff hin, sehr wirksam von dem großen westlichen Rundfenster belichtet. Eine solche bauliche Disposition ist von grundlegender Bedeutung, und sie könnte die Wünsche und Vorstellungen der Bauherrschaft spiegeln. Es ist bisher nicht geklärt, ob die zu eben dieser Zeit im Bau befindliche Braunschweiger Pfarrkirche St. Katharinen, die im Verhältnis zu Halberstadt zumeist als Nachfolgebau gilt, nicht in der Anlage ihres unteren Turmgeschosses für den Dombau der Nach-

barstadt wichtig gewesen ist: vergleichbar ist u.a. die Rahmung des Turmblocks durch Lisenen (die Eckstäbe sind in Braunschweig schon zuvor bekannt) und Rundbogenfriese, auch das große Westportal mit dem ungeteilten Rundfenster unmittelbar darüber. Mit dem Umlaufsockel als Portalrahmung wirkt dieses Braunschweiger Turmerdgeschoß altertümlich - erst im Obergeschoß darüber ist mit der üppigen, in Halberstadt von Anbeginn verfügbaren Bauzier wie der Kleeblatt-Arkatur, den unprofilierten, scharf aus der Wand geschnittenen Bögen über den Gewändesäulen ein vergleichbarer Fundus an Einzelformen vorhanden. Dieses Geschoß ist, dem Braunschweiger Herkommen entsprechend, ins Achteck geführt und von einem gestuften Bogenfries, wie er in Halberstadt erst am oberen Gesims der Türme Verwendung findet, abgeschlossen.

Der Weg dieser charakteristischen frühgotischen Formen nach Mitteldeutschland hat die kunstgeschichtliche Forschung schon lange beschäftigt: die Herkunft aus Burgund oder dem französischen Kronland, die Verschmelzung mit der ober- und mittelrheinischen Spätromanik zu einer reichen Architektur, wie sie sich in den Zisterzienserbauten von

Das untere Geschoß der Westtürme, mit dem Hauptportal und dem Ansatz der ehemaligen Vorhalle. Ergänzungen der Wiederherstellung nach 1867 sind die Gliederung der Oberlichtöffnungen und das Maßwerk des Rundfensters.

*Linkes Gewände des Hauptportals, Kämpferzone.
Köpfe zwischen den Kapitellen und Reste von
Figuren am Ansatz der Archivolten.*

Maulbronn und Ebrach, dann in Walkenried zeigt und die an den Domneubauten von Magdeburg und Bamberg Eingang findet, und ebenso die Verbreitung dieser frühen Gotik in Neckarschwaben, Franken oder Thüringen. Eine besondere Bedeutung gewann die Halberstädter Baustelle in diesem Prozeß dadurch, daß hier die Westfassade einer Domkirche errichtet wurde, bevor man in Magdeburg an die entsprechende Aufgabe gehen konnte. Vermutlich strebte das Domkapitel eine Turmfront und damit ein Bauwerk an, das den um 1240 schon weit gediehenen Magdeburger Ostteilen ebenbürtig erscheinen sollte. Von den zu gleicher Zeit entstehenden französischen Kathedralbauten hatte man sicher gewisse Vorstellungen; die technischen und organisatorischen Voraussetzungen, einen derartigen Bau aufzuführen, waren im mittleren und östlichen Deutschland aber noch nicht gegeben. 1239 war der Martinsdom in Mainz weitgehend fertiggestellt worden, und sicher sind von hier wie von der Marienkirche in Gelnhausen (1225-1240) Anregungen ausgegangen, vielleicht auch Arbeitskräfte gekommen: Bildungen wie der "polylobe" Bogen und die vollplastische Dreipaßarkatur sprechen dafür, doch fehlt in Halberstadt die üppige figürliche Bauplastik, wie sie etwa von Gelnhausen her bekannt ist. Der mittelrheinischen Anregung ist vielleicht auch die Vermittlung eines Motivs zu danken, das die Fassade der Kathedrale von Laon weithin schmückt und auch die zentrale Rose der Stiftskirchenwestfront von Limburg an der Lahn überfängt, nämlich der über dem Radfenster aufgetreppte Rundbogenfries (bei der Katharinenkirche von Braunschweig ist gerade dieses Gebilde über einem kleinen axialen Spitzbogenfenster so kümmerlich geraten, daß es wiederum wie ein schwaches Echo auf Halberstadt erscheint). Schließlich verfügte der Werkmeister in Halberstadt auch über Bauformen, die bei nahegelegenen Bauten nicht geläufig sind - die Einfassung des Rundfensters

durch gewirtelte Stäbe gehört dazu, die von der Westfassade der Zisterzienserkirche Otterberg her bekannt ist. Berührungspunkte zu einer damals in Halberstadt neugebauten Zisterzienserinnenkirche, der des Klosters St. Burchardi, diese wiederum als Anknüpfungspunkt für bauliche Beziehungen zu den Zisterzen von Walkenried und Riddagshausen (hierüber zuletzt und die ältere Forschung korrigierend: R. Nicolai 1990): so ist das Riddagshäuser Westportal in seiner eigenwilligen Ausformung möglicherweise für Halberstadt vorbildlich gewesen. Daß Bauleute unterschiedlicher Schulung am Werk waren, scheint aus den Varianten der Bauzier, etwa der Vorhallen-Kapitelle, hervorzugehen, wobei die in der Hierarchie der Architektur besonders wichtigen Gewändesäulen mit den stilistisch entwickelten frühgotischen, weit ausgreifenden Knospenkapitellen versehen sind.

Große Figurenportale, wie sie die Dome von Straßburg und Bamberg oder die Stiftskirche von Freiberg in Sachsen schmücken, sind im vierten Jahrzehnt des 13. Jahrhunderts in Deutschland noch die Ausnahme. Die Bildersprache des Halberstädter Westportals ist auf wenige Figuren beschränkt, eine gleichsam verkürzte Weltgerichtsdarstellung gegenüber den großen Gerichtsportalen französischer Kathedralen. Abgebildet sind die Figuren des apokalyptischen Christus, die Evangelisten, auch Engel, so daß das architektonisch gegliederte Bogenfeld, die Bekrönung des Portals, wohl als Pforte des Himmels zu verstehen ist: vor dieser finden sich, als Köpfchen in den Archivolten, Männer und Frauen verschiedenen Standes (s.o.). Unterhalb dieser himmlischen Sphäre erheischt ein Löwe sorgfältige Aufmerksamkeit: Als Tierbild ein Nachfahre des Braunschweiger Löwen, vertritt er hier, gespannt schreitend und spähend, in seiner Gefräßigkeit das Böse. Diese Relieffigur wurde mit dem Bibelwort aus 1. Petr. 5,8 gedeutet ("Seid nüchtern und wachet, denn Euer Widersacher der Teufel geht umher wie ein brüllender Löwe und sucht, welchen er verschlinge"). Nicht abwegig dürfte es auch sein, dieses Bildwerk im Bezug auf die Psalmworte "Hilf mir aus dem Rachen des Löwen" und damit als Ankündigung des Leidens Christi, das im Kircheninneren verbildlicht ist, zu verstehen. Eine große Scheibe mit einem nach links gewendeten, vermutlich aufgemalten Löwen war noch bis in das 19. Jh. vor den (wohl hölzernen) Fensterpfosten des großen Rundfensters angebracht gewesen. Kleine vollplastische Figuren am Ansatz der Archivolten sind bis auf eine weibliche Standfigur gänzlich verwittert.

Betritt man das Innere des Domes, so gewahrt man zu den seitlichen Turmräumen führende Pforten, kleine, kräftig gegliederte Säulenportale (s.S. 39). Das südliche zeigt eine Kreuzgruppe im Bogenfeld, das nördliche zählt mit seinem schön gezeichneten Rankentympanon zu einer großen Gruppe ähnlicher Portale, die von Braunschweig bis Magdeburg und Naumburg verbreitet sind. Über dem niedrigen

Die Gliederung der südlichen Turmhallenwand mit dem Portal im unteren Geschoß des Südturmes.

Gewölbe der nachträglich eingebauten Orgelempore verbirgt sich die mächtige sechsteilige Rippenwölbung des Turmzwischenjoches, die der ersten Bauphase angehört. Auch das im Grundriß relativ schmale westliche Langhausjoch hat sich noch aus dem ersten Plan ergeben, indem die bereits angelegte Fundamentierung genutzt wurde. Ob das zuerst geplante Langhaus aber einen zwei- oder dreizonigen Aufbau erhalten sollte, ist eine offene Frage. Die Bauten dieser Zeit kennen beide Lösungen (z.B. Magdeburg oder Arnstadt mit, Bamberg, Naumburg und auch Walkenried ohne Emporen). Für einen Emporenplan scheinen die niedrig angelegten Seitenschiffe zu sprechen. Um Emporen zu erschließen, dürfte man andererseits Zugänge von den Türmen her erwarten. Diese fehlen aber, und damit hat die zweizonige Aufrißlösung die größere Wahrscheinlichkeit für sich.

Die örtliche Überlieferung bezeichnet den gelehrten Dompropst Johannes Semeca als den Erbauer des gotischen Domes. Von nichtadliger Herkunft, muß Semeca über bedeutende Fähigkeiten verfügt haben, um seine hohen Würden - Propst des Liebfrauenstifts 1233, Dekan des Domkapitels 1235, Propst 1241 - erlangen zu können. Als Dekan kam ihm die Oberaufsicht über die bauliche Beschaffen-

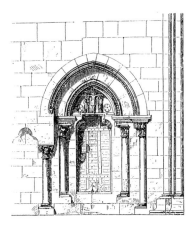

Turmhalle. Pforten nach Norden und Süden (nach Hermes 1896).

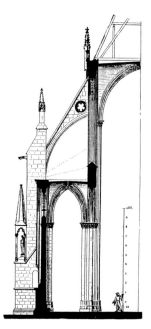
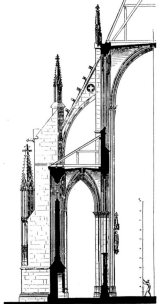

Ansichten und Schnitte der hochgotischen (links) und spätgotischen Joche (rechts) des Langhauses (nach Döring 1902).

heit der Domgebäude zu, und so wird er von Amts wegen die erste Neubauplanung in die Wege geleitet und deren Richtung wohl auch beeinflußt haben.

Der eigentlichen Bauverwaltung des Hochstifts standen später Vikare als "procuratores fabricae" vor. Die "Domfabrik" bestellte den Werkmeister und

Juden- und Knabenkopf zwischen den Mittelschiff- Gewölbediensten des ersten westlichen Langhausjoches, unterhalb des geplanten Gewölbes (1. Langhausplan).

verwaltete die kaum kalkulierbare Finanzierung des Dombaues wie die übrige Bauunterhaltung. Daß Semecas Tod im Jahr 1245 eine Unterbrechung im Bauablauf nach sich gezogen hat, ist wahrscheinlich, denn nicht nur der Weiterbau der Kirche, sondern auch die Weiterführung des Kreuzgang-Neubaues und der Stiftsgebäude waren ins Stocken geraten. Nach dem Abbruch des alten Westwerks wurde mit der neuen Langhausfundamentierung an dessen Platz dann ein anderer Meister tätig.

Von mehreren, seit dem Jahr 1258 ergangenen Ablässen dürfte eine 1276 zugunsten des Neubaues erteilte Indulgenz mitten in die Bauzeit der westlichen Langhausjoche fallen. Der zweite Baumeister wird den Auftrag erhalten haben, das Langhaus höher, als es bisher geplant war, aufzuführen. Der schön gegliederte Ostgiebel des Glockenhauses mußte damit im Dachraum des Mittelschiffes verschwinden. Bei gleicher Breite des Baukörpers und eher schwächeren, mit großen Fenstern versehenen Mauern bedurfte es jetzt eines gotischen Stützsystems für die Wände, das am Außenbau als gewichtige Gliederung mit Strebepfeilern und Strebebögen in Erscheinung tritt (s. S.10f., 40 u. 42f.).

Im Blick auf die Nordseite läßt sich dieser älteste Bauabschnitt des Langhauses mit seinen blockartigen, von Figurentabernakeln geschmückten Strebepfeilern gegenüber den später entstandenen Bauteilen leicht erkennen (s. S. 42). Nicht nur die First- und Traufhöhe, auch der Aufbau des gesamten Inneren war mit diesen drei Jochen für den gesamten Dom festgelegt. Diese Beschränkung des inneren Aufrisses auf die Arkaden- und Fensterzone, also der Verzicht auf das in der klassischen gotischen Kathedrale unter den Fenstern angeordnete Triforium, ist auch in der französischen Baukunst dieser Zeit bekannt. In der deutschen Architektur des 13. Jh. erscheint diese Reduktion z. B. im Langhaus des Freiburger Münsters als eine Vereinfachung des Aufrißsystems der Kathedrale von Straßburg. Anders als in Freiburg ist aber im Halberstädter Langhaus dank hoher Arkaden und sehr großer Obergadenfenster die Mauermasse der Mittelschiffswand erheblich vermindert. Der älteste Langhausmeister hat sich am Leitbild der damals entstehenden und schon bestehenden Kathedralen geschult: In der Bildung der Maßwerke mit seitlichen Kreispässen über Lanzettbahnen verarbeitet er die Grundformen der Fensterteilung der Kathedrale von Amiens; auch der Kölner Dombau (ab 1248) muß ihm bekannt gewesen sein. Daneben sind auch konservative Merkmale dieser Architektur zu benennen: Für eine Orientierung an klassischen frühgotischen Bauten spricht die Verwendung monolithischer "junger" Dienste an den Bündelpfeilern, und ähnlich schöpft die Form der Figurentabernakel aus der Tradition (vgl. die ähnlichen, wohl kurz zuvor entstandenen Strebepfeilertabernakel am Mindener Dom).

Oben: Die ältesten Langhausjoche: das nördliche Seitenschiff im Anschluß an den Nordwestturm (Aufnahme 1979). -
Unten: Standfigur einer Königin, vom Tabernakel des 3. Strebepfeilers am nördlichen Seitenschiff.

Die Nordseite des Domes, von der ehemaligen Dechanei her gesehen.

Daß der Halberstädter Meister die Tabernakel recht niedrig, nämlich in der Höhe der Seitenschiffsfenster anordnet (s. S. 41 o), ist ungewöhnlich. Ursprünglich vorgesehene Durchgangsöffnungen in den Streben sind offenbar bald vermauert worden, wie sich überhaupt schon früh Bauschäden eingestellt haben, die auf mangelhafte Wasserableitung und treibenden Gipsmörtel zurückgehen. So ist in

Das Portal am nördlichen Querhaus. Im Bogenfeld die Darstellung des Marientodes, in den Archivolten Sitz- und Halbfiguren von Sibyllen und Propheten (zumeist beschädigt).

den letzten Jahren der völlige Neuaufbau dieser Strebepfeiler unvermeidlich geworden. Zu der Bautruppe der 1270er Jahre zählten auch Bildhauer:

Unter den Tabernakeln haben sich König und Königin (s. S. 41u) und eine nicht näher bestimmbare Jünglingsfigur, die in der älteren Literatur als hl.

Der Chor des Domes und die mit eigenem Giebeltürmchen versehene Marienkapelle, links das Südquerhaus. Das Kreuz auf dem Chordach erinnert an die Pest in Halberstadt (1683). - Unten rechts: Der südliche Chorumgang; im Chorschluß das Johannesfenster.

Stephanus gilt, erhalten. Wo die in der Marienkapelle (s.S.47) aufgestellte, etwa gleichzeitige Madonnenfigur ursprünglich ihren Platz hatte, ist nicht bekannt.

Erst in den dreißiger Jahren des 14. Jh. konnte man an den Weiterbau denken. Dringlich erschien nunmehr der Neuaufbau des Chores. Um Baufreiheit zu erhalten, wurde im Jahr 1354 die o. g. Ludgerikapelle am alten Nordquerhaus abgebrochen. Aus der betreffenden Urkunde geht hervor, daß der Bischof über diese Kapelle verfügte und ihr Steinmaterial dem Domkapitel für den Bau des neuen Chores (s. S. 10f., 44, 46, 55, 61) zur Verfügung stellte. Mit den Fundamenten der neuen Chorpfeiler wurde die alte Außenkrypta umschlossen (s.S.34); der Vikar ihres Liebfrauenaltares hielt von nun an Messe in der neuen, ganz im Osten gelegenen Chorscheitelkapelle. Nach langer Bauzeit wurde der Chor schließlich im Jahr 1401 geweiht. Für einen Kathedralchor ist es ungewöhnlich, daß der Umgang ohne den Kranz der Kapellen, doch mit einer Scheitelkapelle gebaut wurde. Sicher hat die besondere Lage jenes alten Kryptenraumes Einfluß auf die architektonische Hervorhebung der neuen Marienkapelle gehabt. Es handelt sich mit dieser Raumverbindung auch nicht um eine völlige Neuerung, denn sie ist in

Der Kreuzhof im Blick nach Nordwesten. Vor dem Remtergebäude und dem Westflügel des Kreuzganges die Neuenstädter Kapelle, nach rechts der 1514 zum Neuen Kapitelsaal ausgebaute obere Kreuzgang, der im Sinn eines Seitenschiffs der Domkirche in Erscheinung tritt.

Links: Der nördliche Chorumgang im Blick nach Osten zum Passionsfenster im Chorschluß; links die Nischenkapellen der Nebenaltäre, rechts die nördliche Chorschranke. -
Rechts: Der Blick aus dem südlichen Chorumgang in das Querhaus und das Südseitenschiff.

einigen französischen bzw. burgundischen Kirchen (z.B. der Kathedrale in Auxerre) gewissermaßen vorgebildet. Vor allem bewegen sich in der 1. Hälfte des 14. Jahrhunderts auch ganz verschiedenartige, vom Umgangschor mit Kapellenkranz ausgehende Entwicklungen in Deutschland zu Lösungen hin, die als Basilika oder Hallenchor den Umgang ohne Kapellen (bzw. mit außenseitig unsichtbaren Kapellen) ausbilden. Der Halberstädter Chor steht inmitten dieser Neuerungen. Im Anschluß an das Prinzip des hochgotischen Aufrißsystems, wie es die westlichen Joche vorgebildet hatten, ging der Baumeister von einem Chor mit Umgangskapellen aus (s.u.). Mit seiner Entscheidung, den Chorschluß im Obergaden und Umgang in gleichem Verhältnis, nämlich in fünf Seiten des Achtecks, zu brechen, entstanden für das Bild des Äußeren überaus große, sechsbahnige Umgangsfenster seitlich der Achse, eingefaßt von flächigem Mauerwerk, wie es die älteren hochgotischen Joche nicht zeigen. Der Kontrast zur dicht gegliederten Scheitelkapelle bewirkt eine malerische Erscheinung der Choransicht, die bereits als spätgotisch begriffen werden kann.

Diese Marienkapelle (s. S.44 u. 47) ist kein eigenständiger Bau gewesen, auch wenn sie, ungewöhnlich genug, einen eigenen Westgiebel und einen steinernen Dachreiter für eine kleine Glocke (1465 belegt) besitzt - in diesen Eigenschaften scheint sich aber die oben berührte besondere Funktion dieser

Kapelle zu spiegeln. Im Inneren öffnet sich der Chorumgang zu dieser Kapelle in hohem Bogen - sein verändertes Profil zeigt eine Unterbrechung im Bauablauf an. Die Gewölbedienste gehen unmittelbar in die Rippen über, und dieses Detail ist als eine zur Bauzeit gerade am Kölner Dom (Südturm) vorgebildete, wegweisende Bauform hervorzuheben. Zur eleganten Erscheinung dieses Raumes trägt wesentlich bei, daß die Kappen zunächst nur in der Breite der Rippen aufgemauert sind. Im Polygon werden die Dienste von einer Figurengruppe unterbrochen, einer Anbetung der hl. Drei Könige. Von diesen Statuen läßt vor allem der jüngste der Könige in seinem körperbetonenden Gewand eine neue figürliche Schulung, wie sie mit dem Namen der "Parler" aus der Zeit um 1360/70 verknüpft ist, erkennen. Wenig jünger dürften die feingliedrigen steinernen Leuchterengel am Eingangsbogen der Kapelle sein. Die hochgotische Farbverglasung dieses Raumes ist die älteste Glasmalerei im Dom (s. S. 50f.). Da diese nach den Formaten und der thematischen Anordnung für die Marienkapelle angefertigt ist, wird man zumindest die Bauplanung schon für die Zeit um 1330 annehmen müssen. Diese Glasmalerei setzt den hohen Raum zumeist in ein dämmriges Licht. Im Achsfenster wird in einem christologischen Zyklus die Lebensgeschichte Jesu den Propheten und alttestamentlichen Königen als Vorfahren Christi gegenübergestellt. Engelschöre, Apostel und Tugen-

Die Marienkapelle am Chorumgang mit der ältesten erhaltenen Glasmalerei des Domes.
Unter den Baldachinen die Figuren zweier Apostel, im Polygon eine Anbetung der hll. drei Könige.

Links: Die Lettnerhalle vor der inneren Chorschranke; Blick nach Nordosten. -
Rechts: Das Chorportal in der nördlichen Schranke. Die Bemalung der originalen Türflügel zeigt zum
Chorumgang hin eine Anrufung Karls des Großen.

den im Nordostfenster, Kluge und Törichte Jungfrau-
en, Ekklesia und Synagoge im Südostfenster führen
die theologische Ausdeutung dieses Raumes fort.
Allein eine Figur ist doppelt so groß wie die übrigen
altertümlich-kleinen Scheiben: eine Madonna mit
Kind, deren Baldachin bis in das Fenstermaßwerk
reicht (im Südostfenster) - auf gleicher Höhe mit
diesem kindlichen Christus ist im Achsfenster das
Bild der Kreuzigungsgruppe, der gekreuzigte Christus, zu sehen. Zur alten Ausstattung der Kapelle
gehört das große Hochrelief einer Anbetung des
Kindes von 1517 wie auch die Altartafel der Madonna mit der Korallenkette im Domschatz, nicht aber
der jetzt hier aufgestellte kleine Altarschrein aus
dem späten 15. Jahrhundert.

Mit dem Chor zusammen entstand auch die hohe
steinerne Schranke, die das Sanktuarium, den Raum
von Hochaltar und Domherrengestühl, rings um-
schließt. Ihre Front zur Vierung hin, mit den beiden
Pforten zu Seiten des Kreuzaltars, ist von einer jüngeren, spätgotischen Lettnerhalle verdeckt (s.o. u. S.
49). Die Hauptzugänge in den hohen Chor öffnen
sich vom Umgang aus (s.o.), indem die schön gegliederten und von einer Maßwerkbrüstung abge-
schlossenen Chorschranken von jeweils einem Portal durchbrochen sind. Diese Pforten erscheinen als
höchst eigenwillige Versuche, Elemente hochgoti-
scher Fassadenarchitektur zu variieren und damit
zugleich der unterschiedlichen Funktion dieser Ein-
gänge zu entsprechen: Beide Portale sind dem

Gleichmaß der Schrankenarchitektur entgegenge-
setzt. Das größere im Süden zeigt auf den - im 19.
Jahrhundert kopierten - Türflügeln die Dompatrone
Stephanus und Sixtus (s.S.58u.), während im Nord-
portal (wieder) die alten Türflügel eingehängt sind:
auf rotgrundigem Pergamentüberzug innenseitig bemalt mit einer Verkündigung, außen, ähnlich angeordnet, mit der modisch gekleideten Standfigur Kaiser Karls d. Gr., den ein Engel als "heiligen König Karl,
Beherrscher (triumphator) der Welt" anruft. Die Wahl
des Königs-, nicht des Kaiser-Titels für den Gründer
des Bistums könnte von der entsprechenden Bezeichnung auf dem berühmten spätromanischen Karls-
teppich (s.S.73) herrühren, und vielleicht ebenso die
(auf den Südtüren nicht erscheinenden) Disputanten,
die von keiner Beischrift näher erklärt werden.

Die Fensterwand des Chorumgangs ist unterhalb
der Sohlbänke jochweise mit tiefen Nischen geglie-
dert (s. S.44 u.46). Im nördlichen Chorumgang gehört
zu jeder dieser wandtiefen Nischen ein Nebenaltar,
womit sich diese architektonische Form als Umprä-
gung des alten Kapellenkranzes erklärt. Aber nicht
nur hier, sondern in jedem Joch des Langhauses standen noch in der 1. Hälfte des 19. Jahrhunderts Nebenaltäre, deren spätgotische Retabel heute einen Teil
des Domschatzes bilden. Diesen gemalten und geschnitzten Altären gingen sicher kleine steinerne Retabel voraus. Eines, in der Mitte des 15. Jahrhunderts
entstanden, hat sich auf dem Altar in der sogenannten Sakristei (am südlichen Seitenschiff) erhalten.

Die westliche Chorschranke mit der spätgotischen Lettnerhalle, darüber die Triumphkreuzgruppe aus dem alten Dom. An den östlichen Vierungspfeilern die spätgotischen Figuren der hll. Laurentius und Maria Magdalena.

Aus dem Achsfenster der Marienkapelle (4. - 6. Zeile): Leben Christi.
Flucht nach Ägypten (erneuert), Darstellung Christi, Taufe Christi (erneuert),
eingefaßt von Propheten und alttestamentlichen Königen.

Der aufmerksame Betrachter erkennt an den Einzelformen der Außenarchitektur, daß die östlichen Langhausjoche und das Querhaus zuletzt entstanden sind; hingewiesen sei hier nur auf die gegenüber dem Chor schlankere Bildung der Strebepfeiler und -bögen und die mehr dekorative Behandlung ihrer Oberfläche (s. S.11,40,42 u.45). Andererseits wurde die Einheitlichkeit der Gesamterscheinung mit Elementen wie der Traufgalerie oder dem Fenstermaß-werk, im Inneren mit der Beibehaltung des zweizonigen Aufrisses oder der einfachen Kreuzrippenwölbung des Mittelschiffs fortgeführt. Mit den genannten Bauteilen war der Dom im wesentlichen vollendet, die westlichen Langhausjoche aus dem 13. mit den Chorteilen des 14. Jahrhundert verbunden. Datiert sind hier die nördlichen Langhauspfeiler (1442, 1444), bis zu deren Errichtung die frühromanische Dombau in Teilen noch gestanden hatte (s.

Aus dem Südostfenster der Marienkapelle (4.-6. Zeile): Joseph mit seinen Brüdern, Mose im Schilfmeer, Lots Weib vor Sodom und Gomorra; Samson als Löwenbezwinger, daneben Kluge und Törichte Jungfrauen; Alttestamentlicher König, seitlich der Zug des Volkes Israel durch das Rote Meer.

S.34). Im Langhaus war, wie die großen Steinkonsolen in der Hochschiffwand zeigen (s. S.54), zunächst eine Zwischendecke oder Arbeitsbühne eingezogen worden, über der die abschließenden Bauarbeiten vorgenommen werden konnten. Das war insbesondere die noch fehlende Einwölbung: der jüngste datierte Mittelschiffs-Schlußstein gibt die Jahreszahl 1486 an. Die Wahl von Stern- und Netzgewölben für die Seitenschiffe (s. S. 52) bezeugt eine Vorliebe

für dekorative Lösungen, wie sie für die Mitte des 15. Jahrhunderts kennzeichnend ist und die auch die prächtige Wölbung des anschließend fertiggestellten Querhauses bestimmt.

Auf der Kreuzhofseite war mit dem Langhausbau der alte, bislang zweischiffige Kreuzgangnordflügel auf seine halbe Breite verengt worden (s. S.34,45, 52 u. 86). Mit dem verlängerten, über den Kreuzgang hinweggebauten Querhausarm ergab sich nunmehr

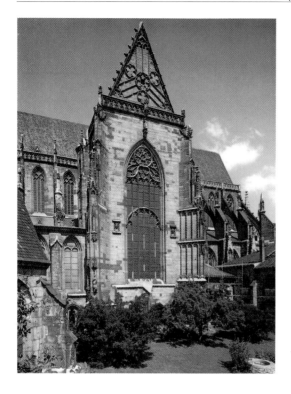

eine für die Außenansicht vollkommene Lösung: Beherrschendes Motiv dieser Querhausfront ist das riesenhafte, in sechs Bahnen gegliederte und wegen seiner besonderen Höhe durch einen Flachbogen zusätzlich quergeteilte Fenster (s. Abb. links). Sein mit gerundeten Fischblasen spielendes Maßwerk und die spätgotischen Zierformen der Strebepfeiler stehen in auffälligem Gegensatz zu dem "hochgotischen" Dreistrahlmotiv des Blendmaßwerks im Giebeldreieck.

Die Fassade des Nordquerhauses (s. S. 42) ist dagegen komplizierter aufgebaut. Hier, gegenüber der ehemaligen Domdechanei, liegt der zweitwichtigste Zugang zur Kirche.

Das große Portal (s. S.43) ist mit seiner Spitze in das Blendnischensystem der Wand darüber geführt, und seine Kreuzblume verdeckt den Ansatz des Kreuzesstammes einer - nicht ausgeführten - monumentalen Kreuzgruppe. Das reich umrahmte Fenster erscheint um zwei Drittel gekürzt, und damit gibt die blendengegliederte Wand darunter den Grund für jenes "grünende" Kreuz auf dem - dasselbe gleichsam tragenden - Portal und für dessen geplante Nebenfiguren ab. Wenig höher als die an den Strebepfeilerfronten vorgesehenen Figuren angeordnet, scheint dieser unausgeführt gebliebenen Querhaus-Kreuzgruppe eine besondere und vielleicht auf die Triumphkreuzgruppe im Inneren vorbereitende Wirkung zugedacht gewesen zu sein. Das Portal selbst, seit langer Zeit schon beschädigt, ist mit Bildwerken reichlich geschmückt: das Bogenfeld mit einem Relief des Marientodes, die Archivolten mit Sitzfiguren, die Sibyllen und Propheten darstellen. Die flachen seitlichen Nischen zeigen die Martyrien der Titelheiligen des Domes. Es gehört zu den Eigenheiten dieser im 2. Viertel des 15.

Die Südseite des Chores, Südquerhaus und östliche Langhausjoche im Blick aus dem Kreuzhof. An das Querhaus westlich anschließend der Neue Kapitelsaal, erkennbar an dem betont einfachen Fenstermaßwerk, links im Bild der Chorschluß der Neuenstädter Kapelle.

Die Rippensterne der Vierungs- und Querhauswölbung (Süden: rechts).

*Die Vierung mit der Lettnerhalle (rechts), im Nord-
querhaus die Empore mit der Figurengruppe des
Paradiesbaumes; links am nordwestlichen Vierungspfeiler die Figuren der hll. Georg und Sebastian.*

*Die Statue Karls des Großen, des Gründers des
Bistums, über dem Mittelpfeiler der südlichen
Querhausempore; Stiftung des Stiftshauptmanns
Siegfried von Hoym.*

entstandenen Portalarchitektur, daß manche Einzel-
heit des herkömmlichen Formenschatzes unvermit-
telt in neuem Zusammenhang erscheint: die seitlichen, in der Wand halb verborgenen Fialen mit
Baldachinen für Statuen, die eigentlich keinen Platz
finden können, die Kapitelle über den Hohlkehlen
des Portalgewändes, die scheinbar für eingestellte
Säulen bestimmt sind, das abrupt sich ändernde
Rahmungsprofil des Bogenfeldes.

Die Verwandtschaft dieser Querhausarchitektur,
z.B. in der Form des Fenstermaßwerks, mit Einzel-
heiten vom "Doppelturmplan" des Regensburger
Domes (um 1400), ist schon lange erkannt worden.
Statt der vielgliedrigen Strukturierung der Turmwän-
de dort ist aber in Halberstadt das Gegeneinander-
setzen unterteilter Bauglieder zu ungegliederten Flä-
chen getreten. Fragen wir nach dem praktischen
Anlaß, der die ungewöhnliche Bildung beider Querhausarme verlangt hat, so ist auf die Emporen im
Inneren zu verweisen. Querhausemporen (s. Abb.
oben) sind in gotischen Bauten nahezu unbekannt,
und daher sind für deren Bau hier triftige Gründe
vorauszusetzen. Wo die 1361 vollendete oder vergrößerte Orgel angebracht war, ist nicht mehr bekannt. Die in spätmittelalterlicher Zeit gewöhnliche
Anordnung über dem Mittelschiffs- oder Chorarka-
den scheint hier in der Mitte des 15. Jh. zugunsten
der Emporenaufstellung im Nordquerhaus verwor-
fen worden zu sein. Auch die Empore im Südquer-

hausarm diente - jedenfalls in nachmittelalterlicher
Zeit - der Kirchenmusik (1753: Schülerchor). Wie
die Nordempore ist sie bis zur Flucht der Seiten-
schiffswände vorgezogen und damit zugleich tiefer
als jene. Beidseits durch Treppen erschlossen, verbindet sie zwischen dem Dom und den im Süden
anschließenden Obergeschoßräumen, mittels eines
neueren Zugangs auch mit der alten Schatzkammer,
dem Zither. Für die Emporen sind Altäre überliefert,
zwei für die Südempore, einer für die Nordempore.
Das entspricht genau der Asymmetrie des Querhauses, so daß diese Nachricht von 1817/19 den mittelalterlichen Zustand noch spiegeln dürfte. Da nächst
dem Sanktuarium und der Marienkapelle die Vierung mit dem Kreuzaltar einen besonderen Platz in
der Rangfolge des Kirchenbaues einnahm, ist nach
den Patrozinien der Querhausemporen zu fragen.
Einer der Altäre auf der Südempore wird Karl dem
Großen gewidmet gewesen sein (1475: supra no-
vam capellam in parte australi circa et supra ambi-
tum; über der neuen Kapelle im südlichen Teil der
Kirche, nahe bei und über dem Umgang). Das in
dieser Zeit entstandene große Sandsteinbild des in
Halberstadt hochverehrten Kaisers steht zwischen
den Bögen der Südempore denn auch in unmittelbarer Nähe dieses Altars (s. Abb. oben). Auf der
Gegenseite, wohl unter der Empore, hatte der Schutz-
heilige des deutschen Reiches, der hl. Mauritius,
seinen Altar wieder errichtet bekommen (1480).

Das Innere des Langhauses nach Osten zur Vierung und zum Hohen Chor.
Vorn der Marmortaufstein aus dem alten Dom. Sein dreistufiger Sockel wurde für die Neuaufstellung im
gotischen Langhaus hergestellt.

Das Innere des Hohen Chores im Blick zum Hochaltar. An den Pfeilern die Standbilder der Apostel Johannes, Andreas, Jakobus d. Ä., Petrus (links), an den östlichen Pfeilern die Stiftspatrone Stephanus und Sixtus, dann die Apostel Paulus, Jakobus d. J., Philippus und Matthäus. Die Fenster im Obergaden mit Glasmalerei der Erbauungszeit des frühen 15. Jh.

Von besonderem Interesse ist der Bezug von Vierung und Emporen zum "Adamsspiel", das offenbar schon im alten Dom aufgeführt wurde (1383 belegt). Die päpstliche Bestätigung dieses Fastenspiels (1401) war noch lange Zeit in der Vierung am südwestlichen Pfeiler öffentlich ausgehängt. Ein Text ist nicht erhalten, und diese geistliche Aufführung wirkte wohl auch zunächst durch bedeutungsvolles Handeln: Nach der schriftlichen Überlieferung wurde ein Einwohner, als "Adam" der reuige Sünder, am Aschermittwoch vom Bischof aus dem "Paradies", der Kirche, vertrieben, um am Gründonnerstag, nach sechs Wochen öffentlicher Buße, wieder in die Gemeinschaft der Kirche aufgenommen zu werden. Der Sitz des Adam, einem Pranger gleich, ist dem Mittelpfeiler der Südquerhausempore angearbeitet. Hier hat sich also der erste Höhepunkt des Spiels, die Vertreibung des Sünders, abgespielt. Der Darstellung von Buße und Lossprechung geht eigentlich die Verstrickung des Menschen in seine Schuld, der Sündenfall, voraus. Dieses Thema wird gegenüber vom Adamssitz, an der Front der Nordempore, von einer monumentalen Gruppe von Bildwerken vorgestellt: Adam und Eva neben dem Baum der Erkenntnis, über dem, in einem kleinen Gehäuse, Gottvater erscheint. Die etwas ungelenken Figuren der Zeit um 1470 (Stiftung des Propstes Heinrich Garwyn, 1463-74) lassen leicht übersehen, mit welchem Ernst hier der Bericht von der Erbsünde in Bilder umgesetzt ist. Zuletzt ist zu bedenken, daß zu dieser Zeit, im 3. Viertel des 15. Jh., die reich dekorierte Lettnervorhalle noch nicht stand und damit umsomehr die Wiederaufnahme des Sünders in die Kirche, die Lossprechung Adams, einen übermächtigen Ausdruck in der großen Triumphkreuzgruppe (s. u.) finden konnte.

Ein großer Teil der baugebundenen Ausstattung des Domes, so die mittelalterlichen Bildfenster und die Skulpturengruppen als kostbare Zeugnisse der spätmittelalterlichen Kunst, ist noch an Ort und Stelle zu sehen. Die über der Lettnerhalle von 1510 stehende Triumphkreuzgruppe ist das bedeutendste Kunstwerk, das aus dem alten Dom in den Neubau übernommen worden ist. Sicher konnte die Monumentalität ihrer Erscheinung, die Körperlichkeit der Figuren auch zur Zeit der Chorvollendung, um 1400, gewürdigt werden. Wichtiger noch: Indem die Kreuzgruppe weitgehend unverändert in den Neubau übertragen wurde, wurde die alte Kennzeichnung des Choreingangs, geistliche Botschaft zu den Laien im Kirchenschiff hin, beibehalten. Im Vorgängerbau war der Trägerbalken freilich in geringerer Höhe angebracht - man wird für den niedrigeren Raum die überwältigende Wirkung der überlebensgroßen, farbig und vor allem gold gefaßten Figuren kaum überschätzen können. Die Gruppe der fünf Hauptfiguren ist von großer, stiller Feierlichkeit. Christus hat, im Sterben das Haupt neigend, den Tod überwunden, und so steht er auf dem Abbild eines

Untiers. In einfachen, starken Gesten der Trauer finden sich Maria und der Evangelist Johannes, jugendliche Gestalten von großer Schönheit, unter dem Kreuz - unter ihren Füßen Verkörperungen von Sünde und Schuld. Das Heilsgeschehen, wie es im Kreuzestod Christi wirkt, wird schließlich in der Gestalt des Adam deutlich: der Mensch, mit dem die Sünde in die Welt getreten ist, wird durch Christi Gerechtigkeit gerechtfertigt (vgl. Römer 5, 12-19) - Adam erwacht zu neuem Leben und findet unter dem grünen Kreuzesholz, dem Baum des Lebens, aus seiner Gruft. Geheimnisvoll schweben als ernste Zeugen des Heilsgeschehens zwei himmlische Wesen neben der Hauptgruppe, Seraphim oder Cherubim, Diener der Herrlichkeit Gottes, in deren Flügelrauschen die Stimme Gottes vernehmlich wird (Hesekiel 10, 5). - Die großen Triumphkreuzgruppen in Freiberg, in Wechselburg und Naumburg kennen diese Begleitung der Hauptfiguren nicht, und nur selten sind Seraphim- oder Cherubfiguren aus dieser Zeit erhalten (unterlebensgroß in Köln, Schnütgen-Museum. Als Vorbild wurde von Reiner Haussherr auf das 1194 aufgerichtete frühere Triumphkreuz der Stiftskirche St. Blasius in Braunschweig verwiesen). Ist die zumeist anerkannte Datierung des Halberstädter Kreuzes in die Zeit der Domweihe von 1220 zutreffend, so erscheint weniger die im byzantinischen Kunstkreis verankerte Haltung, die Körper- und Gewandbildung der großen Figuren, als vielmehr der Ausdruck der Nebenfiguren stilgeschichtlich von besonderer Bedeutung: Insbesondere in der Figur des Adam ist ein reifes frühgotisches Werk "westlicher" Prägung zu sehen. Dabei weist die divergente Stilhaltung auch dieses Werkes darauf hin, daß der führende Meister sich nicht nur unterschiedlicher Ausdrucksweisen zu bedienen wußte, sondern diese auch im Blick auf das Einzelbildwerk sehr bewußt eingesetzt hat. - In der Zeit um 1500 wurde dem theologischen Bild des Triumphkreuzes die Darstellung der historischen Kreuzigung Jesu vorangestellt: das große Alabasterrelief des Kalvarienberges (s. S. 80) im Domschatz bildete noch im frühen 19. Jh. das Retabel des "kleinen" Altars am Ostende des Mittelschiffs.

Nach alter kirchlicher und auch örtlicher Tradition steht der Taufstein im Westen, am Beginn des Weges zum Hochaltar. In Gestalt eines romanischen Kelches erhebt sich das marmorne, auf vier dienstbaren Löwen ruhende Taufbecken denkmalhaft über dreistufigem Unterbau (s. S. 54). Diese Erhöhung stammt wohl aus der Zeit der Neuaufstellung nach dem Bau der Westjoche, denn auch dieses Werk wurde aus dem alten Dom übertragen, und seine Größe, die edle Form sowie das kostbare Material beweisen, daß es sich bei der Taufe um den von Bischof Gardolf (1193-1201) gestifteten Taufstein ("poliert, von auserlesenem Marmor") handelt. Von den zwei bronzenen Taufen, die sich noch im Dom

Die Triumphkreuzgruppe. Christus am Kreuz über dem auferstehenden Adam, das Kreuz von fünf Engeln gehalten. Unter dem Kreuz Maria und der Jünger Johannes d. Ev., daneben zwei Cherubim oder Seraphim. Am Tragbalken des Kreuzes Halbfiguren der Apostel unter Baldachinen.

finden, wurde die ältere (im unteren Remter) mit dem kleinen spätromanischen Medaillon der Mutter Gottes bereits genannt. Bekannter ist die große Fünte im Neuen Kapitelsaal (s. S. 80), die einer weiteren in der Martinikirche aufs engste verwandt ist.

Für die Ausstattung des Binnenchores ist mit der Chorweihe von 1401 ein wichtiger Anhaltspunkt gegeben. Der Bereich des nur wenig erhöhten Sanktuariums war in Fortführung einer älteren Tradition (1365 ist ein "candelabrum supra gradus" genannt) durch zwei Standleuchter (s. S. 60) innerhalb der quer verlaufenden Stufen besonders betont - Adolf Menzel hat noch im Jahr 1850 den angestammten Platz dieser Bronzeleuchter in einer schönen Zeichnung überliefert.

Auf dem Hochaltar steht ein gemalter Flügelaltar mit figurenreicher Kreuzigung, ein Altarretabel des späten 15. Jh., das zu einem der Nebenaltäre gehör-te und hier erst seit einer Generation Aufstellung gefunden hat. Der ursprüngliche Altaraufsatz wurde aus dem Dom verbannt, als der preußische König Friedrich Wilhelm III. seiner Fürsorgepflicht für diese Kirche mit der Stiftung eines neuen Altarbildes genügen wollte. Mit jenem Aufsatz handelte es sich um den großen Eichenholzschrein, der im sog. Remter des Kreuzgang-Ostflügels abgestellt ist: ein mächtiger, völlig mit Eisenblech beschlagener Kasten, der zur Aufnahme von Reliquiaren diente und der damit auf die Anfänge der Altarretabel als Behältnissen zur Auf- und Ausstellung von Reliquien verweist (s.S.60). Sein schmuckloses Äußeres wurde mit kostbaren Textilien bedeckt, obwohl man in Halberstadt zu dieser Zeit über Tafelmaler verfügte, wie die gemalten Türflügel der Chorschranken zeigen. War es, wie im Magdeburger Dom des 13. Jh., hier noch in der Zeit um 1400 nicht statthaft, ein gemaltes oder skulp-

Oben: Der Hohe Chor nach Westen, mit dem Chorgestühl und der Rückwand der Chorschranke, darüber die Chorseite des Triumphkreuzes. An den Pfeilern die Statuen der Apostel Matthäus, Thomas, Simon, Judas Thaddäus, Bartholomäus und Johannes (v. l. n. r.). Die Pforte in der südlichen Chorschranke mit freier Kopie der Originalbemalung (1895). -
Unten links: Chorgestühl der Südseite. Wangen-Bekrönungen am Durchgang der vorderen Reihe.

tiertes Retabel - wie es zu dieser Zeit an sich üblich geworden war - auf den Hochaltar zu setzen? In der Bindung an älteres Herkommen steht dieser bildlose Altaraufsatz nicht allein, wie u. a. die Anordnung und Bezeichnung der Marienkapelle belegt hatten.

In der westlichen Hälfte des Chores ist das Gestühl für die 22 Domherren und die Vikare in der üblichen Weise, nämlich zweireihig und zweigeteilt, mit beidseitig 32 Sitzen angeordnet. Diese zweichörige Sitzordnung mit dem Chor des Propstes auf der einen, dem Chor des Dekans auf der anderen Seite folgt altem benediktinischen Muster. Dabei war in spätmittelalterlicher Zeit die Residenzpflicht der Domherren längst aufgehoben; nur zu den vier, später zwei Generalkapiteln im Jahr dürfte das Chorgestühl besetzt gewesen sein. Ein besonderer Schmuck

Das Langhaus im Blick zur Westempore und der Orgel; vorn die Vorlagen der westlichen Vierungspfeiler mit den Figuren der hll. Erasmus und Sebastian, gegenüber der Kanzel die Figur des hl. Mauritius.

Oben: Zwei Standleuchter auf den Chorstufen, ihre Sockel mit Teppichteilen verkleidet. Zeichnung von Adolf Menzel, 1850 (Skizzenbuch; Berlin, Kupferstichkabinett). Die Leuchter stehen heute in der Marienkapelle und im Neuen Kapitelsaal.

dieses Gestühls sind die virtuos geschnitzten scheibenähnlichen Aufsätze der seitlichen Wangen, die aus der gotischen Kreuzblume entwickelt sein mögen. Alte Photos zeigen noch die romanischen Bildteppiche als Behang der Gestühlsrückwände. Es muß offenbleiben, ob die Rückwände schon in mittelalterlicher Zeit in dieser Weise bebildert waren - das Vorhandensein des Dorsale selbst spricht eher dagegen (vgl. die Chorschrankenbemalung im Kölner Dom). Gesichert ist dagegen die alte Aufhängung von Bildteppichen im Sanktuarium, um den Hochaltar herum, wie es in manchen Kirchen bis heute üblich ist. Die unter dem Sims der Chorschranken angebrachten, ornamental bemalten Leisten, an denen noch 1833 der Marienteppich hing, sind noch erhalten.

Ein Skulpturenzyklus, genau über der Höhe der Chorschranken angebracht, umgibt den gesamten inneren Chor. Alter Ausdeutung entsprechend verkörpern die den Pfeilern vorgestellten Apostel die Stützen des Kirchengebäudes. Die Apostelreihe ist (wie übrigens auch im Kölner Dom) an wichtigster Stelle erweitert: den Platz östlich vom Altar nehmen die hll. Stephanus und Sixtus, die Titelheiligen des Domes, ein. Ihre "Rangerhöhung" in den Kreis der Apostel darf wohl im Sinn einer (vom Hochstift erhofften) Fürbitte, der Empfehlung "ihres" Stiftes an

Großer Reliquienschrank, ehemals Aufsatz des Hochaltars, im Alten Kapitelsaal (links Domherren-Grabplatten aus den Jahren 1590 und 1600).

Die Statue des hl. Petrus im päpstlichen Ornat, am ersten Chorpfeiler. - Sakramentsschrank und Adlerpult im Sanktuarium, rechts der Hochaltar. Unter dem Gesims der Chorschranke Holzleisten für die Anbringung der Teppiche; an den Pfeilern die Figuren der Apostel Jakobus d. Ä. und Petrus.

die göttliche Allmacht, verstanden werden. Konsolen und Baldachine sind einheitlich mit den Pfeilern geschaffen, die Figuren selbst aber erst in den Jahrzehnten vor und nach der Mitte des 15. Jh. ausgeführt: Die datierte Statue des hl. Andreas von 1427 (östlich der Nordpforte) zählt zu den ältesten der Reihe. Von großer Ausdruckskraft sind insbesondere die Statuen von Petrus (Abb. oben) und Sixtus im Chorschluß. Sie zählen zum Besten, was die deutsche Bildhauerei um 1430 geschaffen hat. Die jüngeren, um 1460 und später gearbeiteten Figuren zur Lettnerbühne hin sind als Zeugnisse des noch tastenden Übergangs zur letzten großen Phase der Spätgotik von Interesse (vgl. auch die Karlsfigur an der Südempore, S. 53).

Die Folge der Pfeilerfiguren setzt sich im Vierungsbereich fort (s. S. 59), und wie schon im Chor, so geben auch hier vereinzelte Stifterwappen und Jahreszahlen näheren Aufschluß über die Entstehungszeit. Neben den beiden Schutzheiligen des Domes waren der hl. Laurentius und Maria Magdalena hier besonders verehrt; 1514 wurden beide auch auf neu gestifteten Glocken angerufen. Ihre Standbilder an den östlichen Vierungspfeilern nehmen den besten Platz außerhalb des Chores ein. Gegenüber folgen die herbe Figur des hl. Hieronymus und der hl. Georg - ohne erkennbare Mühe besiegt dieser den greulichen Drachen (1487, am nordöstlichen Vierungspfeiler). Am südwestlichen Vierungspfeiler zählt der hl. Erasmus (dat. 1509) zu einer Gruppe von Bildwerken, die ein bei Tilmann Riemenschneider geschulter Meister geschaffen haben wird. Am 1. Langhauspfeiler der Nordreihe, heute der Kanzel gegenüber, ist die 1513 bezeichnete Statue des hl. Moritz die letzte datierte Pfeilerfigur: die frommen und zugleich der Ausschmückung des Dom-Inneren dienenden Stiftungen hatten in der Zeit nach 1520 unter dem Eindruck der Reformation ihr Ende gefunden: als vorläufig letztes Bildwerk wurde eine Madonna aus dem späten 14. Jh. am nachfolgenden Pfeiler aufgestellt. Im letzten Viertel des 19. Jh. ist dann das Raumbild durch Standbilder, die Personen der Bistums- und Reformationsgeschichte vorstellen, ergänzt worden (sie sind derzeit nicht aufgestellt).

Aus dem Passionsfenster im nordöstlichen Chorumgang (1. und 2. Zeile): Die Salbung Christi zu Bethanien, die Heilung des Blinden, Auferweckung des Lazarus, Verklärung Christi; Einzug in Jerusalem, Abendmahl, Verrat des Judas, Verspottung Christi.

Neben den schon genannten Bildfenstern der Marienkapelle hat sich ein Gutteil der mittelalterlichen Verglasung des Chores in den Fenstern des Chorumgangs erhalten. Im Obergaden des Chores sind nur noch das Achsfenster mit einer monumentalen Kreuzigung und die Fenster seitlich davon altverglast (im Nordostfenster die Martyrien der Bistumspatrone). In der vorzüglichen Zeichnung der Kreuzigung und der Prophetenreihe darunter kommt einer der großen Glasmaler des frühen 15. Jh. zu Wort; seine Werkstatt ist bald darauf in den Domen von Havelberg und Stendal tätig. Die Chorumgangsfenster sind für Nahsicht gedacht und daher in ihren Bildformaten klein gehalten. Vom Nordquerhaus abgeschritten, beginnt die Bildfolge mit dem Mosesfenster, mit dem Fenster der Richter und Könige und dem Prophetenfenster. Im vierten Fenster sind Szenen des Marienlebens ausgebreitet, im fünften und sechsten Fenster wird das Leben und Leiden Christi erzählt - ersichtlich folgt also die Themenanordnung der geschichtlichen, biblisch vorgezeichneten Abfolge. Das letztgenannte Fenster erlaubt mit seinen sechs Bahnen eine weite Auffächerung des Stoffes -

auch bei dem auf die Scheitelkapelle folgenden, ersten südlichen Umgangsfenster ist dieser Umstand genutzt: In diesem von Bischof Johann von Hoym (reg. ab 1419) und seinem Bruder gestifteten Fenster wird das Leben Johannes des Evangelisten ausführlich geschildert; das Fenster ist wegen seiner vorherrschenden Farbe, einem Smaragdgrün, berühmt. Die folgenden (fragmentarisch bestückten) Fenster beziehen sich offenbar mit den hll. Stephanus, Dionysius, Martin und Karl auf die fränkische Mission und damit auf die Anfänge von Diözese und Kathedrale. Um 1960 hat Charles Crodel in der Marienkapelle und im südlichen Chorumgang einige fehlende Scheiben ergänzt - diese Arbeiten sind bisher die jüngsten Kunstwerke im Dom geblieben.

Von der am ursprünglichen Ort noch vorhandenen Ausstattung sollen noch die beiden Radleuchter hervorgehoben werden (s. S. 64), großartige Erzeugnisse des Feinschmiedehandwerks, von denen der im Chor die 1365 genannte "corona de sanctuario" sein dürfte. Diese setzt sich aus vier, nach oben hin enger werdenden Reifen zusammen, auf denen für

Aus dem Johannesfenster im südöstlichen Chorumgang ("Grünes Fenster", 1. Zeile): Johannes d. Ev. schreibt das Buch der Geheimen Offenbarung auf der Insel Patmos und kommt danach in die Stadt Ephesus, wo er die verstorbene Drusiana zum Leben erweckt.

die Lichter kleine Gehäuse angebracht sind, eine Weiterentwicklung der alten Radleuchterform also, deren überlieferte Bedeutung als Himmelsstadt hier besonders anschaulich ist. Über den fast 50 Kerzenträgern schließt ein großes Tabernakel für eine Figur den Aufbau ab. - Einen umittelbaren Rückgriff auf die alte Form und Bedeutung der romanischen Radleuchter stellt die große, für 60 Kerzen bestimmte Krone des Langhauses dar. Als Stiftung des Propstes Balthasar von Neuenstadt († 1516) ist sie über seiner Grabstätte im Langhaus aufgehängt (nach Haber, 1739). Die Krone wird bald nach 1516 entstanden sein; der breite Reif, der die kleinen Gehäuse für die Apostelfiguren mit den Stifterwappen verbindet und die Kerzen trägt, zeigt im flachen Relief hier erstmals die Ornamentik der Frührenaissance. Auch die bronzene Grabplatte des Propstes (jetzt auf der Südempore), als Guß der Nürnberger Vischer-Werkstatt bekannt, ist in wesentlichen Zügen, der Statuarik der Figur wie der Rahmung und ihrem Ornament, ein Werk der Renaissance: Gelassen steht der Propst im Ornat der Domkapitulare unter einem Rundbogen von graphischer Eleganz (s. S. 67).

In seinem Testament hat Balthasar von Neuenstadt auch das "sepulchrum Domini", das Grab des Herrn "in medio ecclesie", mit Licht versorgt. Auch in den schriftlich überlieferten Halberstädter Meßordnungen aus dem 15. Jh. nimmt die Liturgie um das Grab Christi einen wesentlichen Raum ein. Das ist deswegen von besonderem Interesse, weil sich drei künstlerisch hervorragende Bildwerke des mittleren 14. Jh. oder der Jahre danach im Dom erhalten haben, die immer wieder als Bestandteile einer großen Heilig-Grab-Gruppe angesprochen worden sind: die Frauenfiguren und der Engel stehen mit oberrheinischen Werken der Zeit um 1340 und danach datierten Arbeiten in Erfurt und Magdeburg in Zusammenhang, und damit ist die moderne, funktionslose Aufstellung in einer der Nischen des nördlichen Chorumgangs wenigstens von der Entstehungszeit her begründet. Ein Heiliges Grab, wie es im Freiburger Münster erhalten ist, scheint von der ähnlichen Figurenbildung her (dort der bekrönenden Figuren auf dem Gehäuse) Rückschlüsse auf das in Halberstadt verlorengegangene Gehäuse zu erlauben - dabei ist es nicht sicher, ob es diese architektonische

Die Leuchterkrone im Chor.

Form hier überhaupt gegeben hat. In der heutigen Anordnung gleicht das Figurenpaar, der Engel und die hoheitsvoll-ruhige Gestalt einer Maria, eher einer Verkündigungsgruppe, denn voller Verheißung hat der Engel seine Rechte erhoben. Nicht zu übersehen ist, daß Maria-Magdalena - die mit ihren Salb- und Weihrauchgefäßen eindeutig einem Heiligen Grab zuzuordnen ist (s. S. 66) - in der zarten Schwingung ihres Körpers geradezu spiegelbildlich der Figurenkomposition des Engels entspricht. Zum Adel der Erscheinung dieser Bildwerke trug auch eine farbige Fassung der Inkarnate und Gewänder bei, von der sich nur Reste erhalten haben.

Zum Schimmer der Marmor- und Alabasterwerke trat der Glanz der messingnen und vergoldeten Geräte, die Farbenpracht der Textilien, Altarretabel und Figuren in einer von der spätgotischen Verglasung her bestimmten, d.h. verhältnismäßig hellen Grundfarbigkeit des Raumes. Dieser erweckte in den drei-

Der Radleuchter im Langhaus.

ßiger Jahren des 19. Jh., also vor der ersten Restaurierung des Inneren, den Eindruck, als sei er "weder mit Kalk übertüncht noch vom Zahn der Zeit merklich berührt" (Lucanus, 1837), und Franz Kugler hatte ähnlich über den Dom geurteilt: "Er ist sehr wohl erhalten, und keine übertriebene Restauration hat ihm seine ernste, geschichtliche Farbe genommen; besonders im Inneren wohltuend wirkt jener bräunlich-graue Ton, der ebenso weit von der wohlfeilen weißen Tünche des Maurers als von der beliebten Pfefferkuchenfarbe moderner Architekturmaler entfernt ist" (1833). Man wird für diese Steinsichtigkeit des Raumes vielleicht eine "steinfarbene" lasierende Raumfassung annehmen müssen (Reste vereinzelt sichtbar).

Wenige Gegenstände der Ausstattung stammen aus nachmittelalterlicher Zeit. Mit einer neuen Kanzel wurde im Jahr 1592 der Einführung des evangelischen Gottesdienstes im Dom entsprochen. Der Predigtstuhl vereinigt verschiedene Teile - neben der älteren, spätgotischen Trägerfigur ein kostbares Alabasterrelief als vorderste Brüstungsplatte: es zeigt die Auferstehung des Herrn, ein Thema, das als Sieg Christi über Tod und Hölle schon in der Reformationszeit geschätzt war. Alttestamentliches Gegenstück dazu ist hier die Geschichte von Samson, dem Helden, der das Haus der Philister zum Einsturz bringt: Die Szene findet sich unter den Treppenlauf der Kanzel gemalt, und wie die in heftiger Verkürzung gemalte, stürzende Säulenarchitektur mit der Schräge der Kanzeltreppe korrespondiert, gibt einen Eindruck von der in Halberstadt sonst verlorengegangenen manieristischen Malerei. Zwei Jahrzehnte älter als die Kanzel war die große Kirchenuhr am Westende des südlichen Seitenschiffs, von der sich nur das Zifferblatt erhalten hat - mit den großen Kunstuhren des 15./16. Jh. hat sie sich allerdings nicht messen können. Schließlich ist die Dom-Orgel zu nennen, das 1965 von der Orgelbauanstalt Eule in Bautzen fertiggestellte Werk von 66 Registern, das sich hinter dem hochbarocken Prospekt der Heinrich Herbst-Orgel von 1718 verbirgt. Dieser prächtige und reich skulptierte Aufbau norddeutscher Prägung präsentiert heute mit wenigen zeitgleichen Grabdenkmälern die barocke Ausstattung des Domes (Aufmaße des 19. Jh. überliefern eine Folge von Priechen in den fünf östlichen Jochen des Langhauses). Die barocke Orgel war Nachfolgerin einer im Jahr 1520 gebauten großen Domorgel von bereits 30 Registern Umfang, die ihrerseits jene oben genannte gotische Orgel abgelöst hatte und wohl bereits auf der Westempore aufgestellt war.

Im Gegensatz zu anderen Domkirchen hat es in der Halberstädter Kathedrale keine Tradition figürlicher Bischofs-Grabmale gegeben: die Grabstätten sind bzw. waren mit einfachen Platten bezeichnet - die beiden kleinen Rotmarmorplatten im Chor sind hier zu nennen. Erst in der Mitte des 16. Jh. wurde diese auffällige und wohl absichtsvolle Zurückhal-

*Die Kanzel in ihrer neuzeitlichen Aufstellung am 1. südlichen Langhauspfeiler;
Blick zum südlichen Seitenschiff.*

tung durchbrochen: Bischof Friedrich von Hohenzollern (reg. 1550-1552) wurde nicht nur an besonders ehrenvoller Stelle, nämlich mitten vor den Stufen des Hauptaltars, bestattet, sein Vater, Kurfürst Joachim II. von Brandenburg, sorgte auch für ein Epitaph, das unter den fürstlichen Grabdenkmälern dieser Zeit keinen Vergleich zu scheuen brauchte. Über die Chorschranke hinweggebaut, stellt es den verhältnismäßig jung verstorbenen Erzbischof gleichsam als Teilnehmer des Hochamtes vor. Weltlich gekleidet, ist die stehende Grabfigur zugleich der Gegenwart enthoben, wie sie weit über den Gestühlsreihen mit einem von Engeln gehaltenen Vorhang umfangen ist: Mit dieser Architektur und ihrem Beiwerk hat der Bildhauer Hans Schenk (bez. "hoc opus exsculpsit ... 1558") die Phantasien kleinmeisterlicher Graphik verwirklicht - einen Triumphbogen mit winzigen Nebenpforten und überdimensioniertem Aufsatz sowie seitliche, kopflastige Freisäulen und einer exzessiven Materialkombination von Eisen und Stein. In der bizarren Welt der Begleitfiguren und des Sockelfrieses handelt das Denkmal von der Schuld des Menschen und mahnt den Betrachter an Tod und Gericht. Von der den Bildwerken ablesbaren Glaubenshaltung des Fürsten ausgehend, verrät nach neuer Deutung (A. Cante) das Grabmal zugleich die Vorstellung des Auftraggebers von einem (säkularisierten) hohenzollerischen Bistum Halberstadt.

Ein besonderes Werk ist auch die in der Mitte des 15. Jahrhunderts entstandene Gedächtnistumba für den schon genannten Dompropst Johannes Semeca. Als hervorragenden Lehrer des Kirchenrechts rühmt ihn eine gemalte Tafel über dem Grabmal. Man hat wohl dem Gelehrten zu Recht nicht nur maßgeblichen Einfluß auf den Dombau, sondern auch auf die zu seiner Zeit entstandenen Kunstwerke (belegt für ein illuminiertes Missale im Domschatz) zugeschrieben. Eingefaßt von einem schönen Renaissancegitter, vertritt das Grabdenkmal mit der vollplastischen Liegefigur auf der Deckplatte einen im 14. Jahrhundert blühenden Grabmaltypus: in dieser monumentalen Form des Adelsgrabes, mit den Klagefiguren in den Blendenarkaden des Sarkophags und den (ehemals zwei) weihrauchspendenden Engeln zu Füßen, wurde dem Propst - vielleicht genau zweihundert Jahre nach seinem Tod - ein ungewöhnlich ehrenvolles Denkmal gesetzt.

Statue der hl. Maria Magdalena von einem heiligen Grab, in einer der Altarnischen des nördlichen Chorumgangs aufgestellt.

Oben: Grabdenkmal für den Dompropst Johannes Semeca, gest. 1245; im 1. Joch des südlichen Chorumgangs. Die im 2. Viertel des 15. Jh. geschaffene Tumba ehrt den berühmten Gelehrten - die Trauernden auf der Sarkophagwand sind daher wohl als Verkörperung der vier Fakultäten zu verstehen. Das Schutzgitter ist eine Zutat des 16. Jh.

Unten: Die Ostwand des Querhauses auf der Süd-empore mit dem Zugang vom Chorumgang her; links davon die Grabplatte des Dompropstes Balthasar von Neuenstadt (gest. 1516), ein Guß der Werkstatt der Vischer in Nürnberg.

Oben: Das Grabdenkmal für den 1552 verstorbe-nen Erzbischof Friedrich von Hohenzollern an und über der südlichen Chorschranke. - Unten: Epitaph für den Domdechanten Caspar von Kannenberg, gest. 1605. Das von Sebastian Ertle und Luleff Bartels gearbeitete Werk ist am südöstlichen Vierungspfeiler angebracht.

Der Domschatz

Der Halberstädter Dom besitzt einen der größten Kirchenschätze, die sich aus hoch- und spätmittelalterlicher Zeit bis heute erhalten haben. Alter Aufbewahrungsort für die liturgischen Gewänder war das "armarium", die Sakristei. Dort lagen sie nach einem Beleg von 1465 in "capsulae", hölzernen Kästen (hier nicht erhalten). Die kostbaren, zum liturgischen gottesdienstlichen Gebrauch bestimmten Gegenstände waren und sind im "Zither", der tonnengewölbten, ursprünglich vom oberen Kreuzgang aus zugänglichen Schatzkammer verwahrt. Der Bereitstellung der beim Meßgottesdienst benötigten Geräte dienten sog. Sakristeischränke, schwere Eichengehäuse, von denen sich in Dom und Liebfrauenkirche noch einige erhalten haben (ihre ursprüngliche Aufstellung in unmittelbarer Altarnähe ist z. B. in der Marienkirche von Gelnhausen noch zu sehen). Im Dom selbst steht der große dreigliedrige Sakramentsschrank zu Seiten des Hauptaltars (s. S. 61). Der große Reliquienschrein wurde als alter Aufsatz des Hauptaltars bereits genannt (s. S. 60). Nicht zu übersehen ist schließlich im Südosten des Chorumgangs ein vergitterter Bücherbehälter. Die Aufsicht über die Reliquien in ihren kostbaren Behältnissen, das Altargerät und die Gewänder oblag in mittelalterlicher Zeit einem der Domherrn, dem Custos oder Thesaurius, dem für dieses Amt Vicare mit Schlüsselbefugnis für Schatzkammer, Archiv und Großes Siegel, die Clavigeri, zur Seite standen. Nach Einführung der Reformation blieben die kostbarsten Gegenstände unter Verschluß des Dechanten und des Seniors. Andere Stücke wurden benutzt und verschlissen, wie eines der (mittelalterlichen) Altartücher, das man in der Mitte des 18. Jahrhunderts dem Lumpensammler schenkte. Wieder andere Stücke wurden damals auch gestohlen.

Mit der Aufhebung des Domstifts drohte im frühen 19. Jahrhundert die Gefahr der Abwanderung und Zerstreuung des Schatzes, doch fanden sich damals Stimmen, die bei der westfälischen Regierung nicht nur die Erhaltung der zur Pfarrkirche gewordenen Kathedrale anmahnten, sondern auch auf die Bewahrung ihres Schatzes drangen und damit auch Gehör fanden. Der Schatz, dem sich die zunächst als "Domsammlung" bezeichneten, nicht mehr ortsgebundenen Altarretabel und Figuren hinzugesellt hatten, gelangte damals in die Obhut der Ev. Domgemeinde. 1912 galt er schließlich als nationaler Kunstbesitz, dessen verbesserte Aufstellung 1936 möglich wurde, vermehrt u. a. um Gegenstände aus der Liebfrauenkirche. Daß der Bestand die Kriegs- und Nachkriegszeiten unbeschadet überstanden hat, ist vor allem dem verantwortlichen Handeln der Domgemeinde zu danken. Seit 1959 ist der Domschatz wieder und in neuer Anordnung ausgestellt (Teppich- und Gewandkammer im Obergeschoß des Remters); die restauratorische und wissenschaftliche Betreuung wird vom Landesamt für Denkmalpflege in Halle wahrgenommen.

Berühmt ist der Domschatz im 20. Jh. vor allem als Hort der ältesten erhaltenen europäischen Wirkteppiche geworden, des Abraham- und Michaels-Teppichs aus dem 12. (s. S. 76f.) und des Karlsteppichs aus dem 13. Jh. (s. S. 71). Von besonderem Rang sind auch die mittelalterlichen Altarbekleidungen (s. S. 75) und die Fülle der Pontifikalgewänder, die Reliquiare des 11. - 13. Jh. (s. S. 70ff.). Manche Kostbarkeiten sind nur literarisch überliefert: so berichtet der Verfasser der Bischofschronik u. a. von einer goldenen Tafel, besetzt mit Edelsteinen, die Bischof Arnulf für den Hochaltar gestiftet hat, also wohl von einem der frühromanischen Antependien, wie sie nur in wenigen Stücken erhalten sind. Von der Domweihe des Jahres 992 ist überliefert, daß Kaiser Otto III. ein goldenes Szepter schenkte - auch dieses ist nicht mehr vorhanden. Das "rot-gold durchgewirkte laken" auf dem Hochaltar (so 1765 genannt) dürfte der nach einem erhaltenen Rest von F. Bellmann rekonstruierte große romanische Knüpfteppich (ca. 5,5 x 4,5 m) gewesen sein.

Einen hochbedeutenden Zuwachs erfuhr der Schatz im Jahr 1205, als Bischof Konrad von Krosigk vom vierten Kreuzzug - dessen unrühmlicher Höhepunkt bekanntlich die Einnahme und Plünderung der oströmischen Hauptstadt gewesen war - zurückkehrte. Zwischen Geschenken und Kriegsbeute kann heute natürlich nicht mehr unterschieden werden - der Löwenanteil ist damals an die aufstrebende Mittelmeermacht Venedig und ihre Kirche S. Marco gefallen, wo er heute noch zu sehen ist. Unter den von Bischof Konrad nach Halberstadt gebrachten Gegenständen nimmt die silberne Weihebrotschale mit dem Bild der Kreuzigung Christi, ein Werk der Zeit um 1070, nach seiner liturgischen Kostbarkeit und der Feinheit der Ausführung einen besonderen Rang ein (s. S. 70). Das Wissen um den Verwendungszweck der Schale in der Ostkirche hat dann eine Umarbeitung begünstigt, die mit Hilfe kleiner gegossener Figuren den Märtyrertod des Stephanus mit dem Vor-Bild der Kreuzigung bildlich verknüpfte - die kleinen Judenfiguren des nunmehr "Stephanusschüssel" genannten Diskos sind davon erhalten, aber im vorigen Jahrhundert wieder von der Schale getrennt worden (s. S. 70). Im frühen 13. Jh. wurde auch ein Stein, der den hl. Stephanus getroffen haben soll, kostbar gefaßt (s. S. 70). Einige Partikel der "Reliquien aus Griechenland" hat Bischof Konrad zunächst für sich behalten: Aus seinem Nachlaß gelangte im Jahr 1225 u. a. ein Finger des hl. Nikolaus an den Dom und wurde von einem der vergoldeten und reich mit Edelsteinen besetzten Armreliquiare (s. S. 71) kostbar umschlossen. Ein weiteres Armreliquiar enthält Arm- und Schädelknochen des hl. Stephanus. Wie andere, damals angefertigte Reliquiare ist diese Aufbewahrungsform aus dem Be-

Seidene Kasel mit gestickten Adlern, niedersächsisch, 2. Hälfte 13. Jh.; Mitra mit Perlstickerei, niedersächsisch, um 1400; Pontifikalhandschuhe. Vortragekreuz aus Bergkristall mit Goldmalerei, Venedig, 13. Jh.

streben heraus zu erklären, die heiligen Überreste anschaulich und in angemessener Kostbarkeit den Gläubigen vorzuweisen. Der prächtigste, vom Alter und der Bedeutung der hier versammelten Partikel her würdigste Gegenstand ist ein Tafelreliquiar (s. S.72), mit dem die alte Form der Staurothek weitergeführt wird.

Der fragmentarische und veränderte Zustand vieler Kleinode ergibt sich aus der zum Teil wenig bedenklichen Anpassung an einen neuen Gebrauchszweck. So ist das älteste Stück des Schatzes, ein spätrömisches Konsulardiptychon, gekürzt worden, um es als Buchdeckel verwenden zu können - freilich haben manche Stücke eben nur dank solcher

Oben: Liturgischer Diskos, zur Vorbereitung der Kommunion. Byzantinische Treibarbeit, Silber, vergoldet.

Zwei Juden, Bronzeguß, vergoldet. Teile einer Figurengruppe (Darstellung der Steinigung des hl. Stephanus), ehem. mit dem Liturgischen Diskos verbunden. Niedersächsisch, um 1240.

Unten: "Stein des hl. Stephanus", in einer Silberfassung der Zeit um 1200.

Markusevangelium, Frankreich um 1140, Blindstempel-Einband. Aus der Liebfrauenkirche.

*Oben: Drei Armreliquiare mit Partikeln der hll. Stephanus , Jakobus und Nikolaus (v. l. n. r.).
Vergoldetes Silber und edle Steine, um 1225. -
Unten rechts: Flache Holzschale, wohl zum Gebrauch der gemeinschaftlichen Tafel des Domkapitels.
Die Umschrift fordert zur Mildtätigkeit auf, unterstützt durch die Darstellung vom Tische des Herrn: im
Rundbild Christus, der - sich selbst entäußernd - auch dem Elendsten gibt. Um 1320.*

Anpassung die Zeiten überdauert. Als am berühmten Karlsteppich (s. S. 73), der Karl den Großen inmitten von vier römischen Philosophen zeigte, die oberen Köpfe abgetrennt wurden, verstümmelte man auch die textliche Aussage. Philologische Gelehrtenarbeit hat die Sprüche jüngst rekonstruiert und daran die These geknüpft, daß der Teppich im Auftrag des Konrad von Krosigk gearbeitet worden sei und der Bischof sich damit dem König als treuer und freundschaftlicher Ratgeber empfehlen wollte (A. Erler). Stilkritische Gründe sprechen allerdings eher für eine Datierung in die Zeit um 1230/40. Die Bestimmung der Werkstätten, die diese Kunstwerke hervorgebracht haben, stößt auf Schwierigkeiten, wenngleich das Damenstift in Quedlinburg für die Teppichkunst des 12. und 13. Jh. und die Heideklöster in Niedersachsen für die Stickereien der nachfolgenden Zeit in Frage kommen. Aus den Zentren der spätromanischen Gießerei und Goldschmiede-

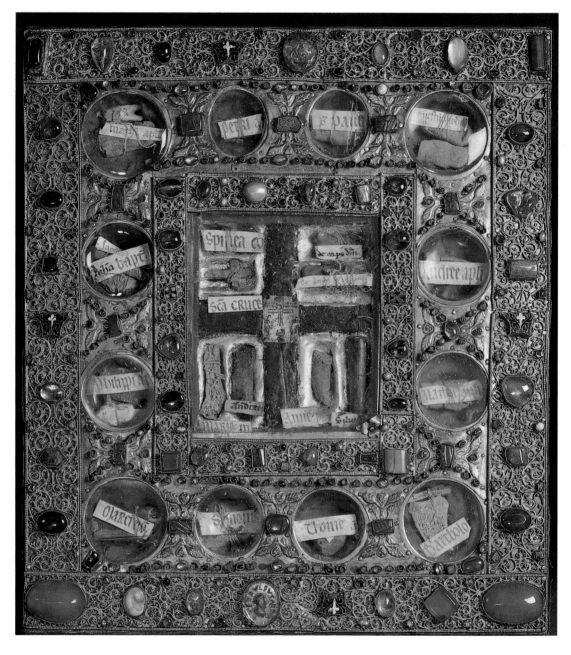

Große Reliquientafel; inmitten Partikel des Heiligen Kreuzes, daneben ein Dorn der Dornenkrone Christi, Reliquien Mariens, der Apostel u. a. Nach 1225, unter Verwendung älterer Kleinode.

kunst wie Magdeburg oder Hildesheim haben gewiß Werke nach Halberstadt gefunden. In welchem Umfang hier eigene Werkstätten bestanden haben, ist bisher wenig geklärt. Ihre Tätigkeit kann am ehesten bei der Umgestaltung älterer Kostbarkeiten vorausgesetzt werden, so bei der Neufassung einer ägyptischen Bergkristallflasche oder der Umarbeitung eines byzantinischen Glases zu einem Karlsreliquiar.

Im Rahmen dieser Darstellung kann auf die einzelnen Gegenstände des Domschatzes nicht eingegangen werden. Der Besucher wird in der Teppichkammer sein Augenmerk zunächst auf die großen romanischen Wirkteppiche richten: den Abrahams- (oder Engels-) Teppich mit vier Szenen, die im 1. Buch Mose berichtet werden, und das die Bilderfolge rechts abschließende Feld mit dem Drachenbezwinger, dem Erzengel Michael (s. S. 76f.). Dann

Der Karls-Teppich.
Karl der Große als Herrscher,
von vier Philosophen beraten.
Wirkteppich,
um 1230/40.

den etwas jüngeren Apostelteppich, der seinen Namen nach den paarweise thronenden Aposteln trägt
und dessen mittlerer Teil das Bild des endzeitlichen
Christus zeigt, nach ostkirchlicher Bildtradition vor-
gewiesen von den Erzengeln Michael und Gabriel
(s. S. 76f.). Ein großes, im späten 13. Jh. gearbeitetes
Fasten-Velum ist ein Hauptstück der niedersächsischen Stickkunst, ausgezeichnet durch seine vollendete, vielfältige Sticktechnik und die Verwendung

farbiger (heute verblichener) Seiden. Im Mittelpunkt
der Darstellung steht die Kreuzigung Christi, deren
unmittelbarer Bezug zu dem am Altar gefeierten
Meßopfer durch die alttestamentlichen Vorbilder von
Isaaks Opfer und der Aufrichtung der ehernen Schlan-
ge gegeben ist (s. S. 75).

Der sog. Sakristeischrank der Liebfrauenkirche -
sein wohl giebelförmiger oberer Abschluß ging ver-
loren - ist als "Möbel" wie als Träger frühester Tafel-

Der Marienteppich, Detail: Die Flucht nach Ägypten. Der fast 14 m lange Wirkteppich wurde vermutlich vom Propst Balthasar von Neuenstadt in seine Kapelle am westlichen Kreuzgang gestiftet. Um 1500.

malerei gleicherweise von hervorragender Bedeutung (s. S. 78). Steht er, wie Stil und Ikonographie der Verkündigung auf den Tür-Außenseiten zeigen, einerseits in der byzantinischen Bildtradition, so verkörpert er als "scrinium reliquiarum" (so 1311), als Reliquienschrank, zugleich den Weg zum Altarschrein; die geöffneten Türen zeigen die Standfiguren der hl. Katharina und Kunigunde, so daß man als zentrale Figur für das obere Schrankfach eine thronende Maria (entsprechend der Bildanordnung über dem Südostportal der Liebfrauenkirche) erwarten könnte. Dafür wurde die ebenfalls aus der Liebfrauenkirche stammende und wohl noch vor 1220 entstandene Sitzmadonna (Eichenholz, farbig gefaßt) vorgeschlagen (Appuhn, 1963) (s. S. 79). Unter einer großen Zahl ähnlicher niedersächsischer Madonnen ist sie sicher die bekannteste, vielleicht auch die schönste. Die Forschung hat ihre Verankerung in der rheinischen Plastik der Zeit um 1200 hervorgehoben und von daher auch die antikisierende Bildung der Christusfigur erklärt (K. Niehr, 1983).

Seidengesticktes Leinentuch (Fastenvelum) vom Ende des 13. Jh. Dem zentralen Bild der Kreuzigung sind alttestamentliche Vor-Bilder und das Symbol des sich opfernden Pelikans zugeordnet. Seitlich schließen insgesamt 36 Kreispässe mit Halbfiguren von Heiligen an.

Der Märtyrertod der Dompatrone Sixtus und Stephanus auf einer gestickten Altardecke des 2. Viertels des 14. Jh.

Der Abrahams-Teppich mit seinen Bildfolgen der Erscheinung des Herrn und der Ankunft der drei Männer vor Abraham, Abrahams Gastmahl, der verhinderten Opferung Isaaks und schließlich dem Bild des Erzengels Michael. Mitte 12. Jh.

Das zweite Bild des Abrahams-Teppichs: die engelgestaltigen Männer als Verkörperung der göttlichen Trinität, von Abraham und Sarah bewirtet.

Der Apostel-Teppich, linke Hälfte.

Der Abrahams-Teppich, rechte Hälfte.

Das Mittelbild des Apostel-Teppichs: Christus in der Mandorla, die Erzengel Michael und Gabriel.

Der Apostel-Teppich, rechte Hälfte.

In den Vitrinen der Gewandkammer sind kostbare liturgische Gewänder des 12. - 16. Jh. zu sehen, Pluviale und Kaseln, Dalmatiken, Mitren und weitere Bestandteile bischöflichen Ornats (s. S. 69) wie Handschuhe, Manipel und Pontifikalschuhe. Neben den festtäglichen Seiden- und Brokatgewändern fällt die Kostbarkeit der Perlenstickerei auf - außer den perlbestickten Mitren des 14. Jh. bewahrt der Domschatz auch ein perlbesticktes Antependium aus dem 13. Jh. Kaseln der 2. Hälfte des 15. Jh. sind mehrfach mit der damals beliebten Reliefstickerei verziert. Die eingearbeiteten Wappen lassen in einigen Fällen den ursprünglichen Besitzer des Gewandes bestimmen.

Im Neuen Kapitelsaal sind die meisten der erhaltenen Nebenaltarretabel und Einzelfiguren aufgestellt. Zu den ältesten Tafeln zählt das kostbare Bild der "Madonna mit der Korallenkette" (s. S. 82): Den Hauptpersonen der heiligen Sippe haben sich die hl. Jungfrauen Katharina, Magdalena und Barbara hinzugesellt; vermutlich entsprach dem Täufer auf dem erhaltenen linken Altarflügel Johannes der Evangelist auf dem verlorenen rechten. Der anmutig-stillen Gruppe der Heiligen ist die Gruppe der fünf kleinen Engel beigegeben, die für ihr Marienlob sich lebhaft um eine Notenhandschrift drängt. Namengebend wurde für die Tafel das Motiv des kindlichen Spiels mit der (unheilabwehrenden) Korallenkette (vgl. den

Der sogenannte Sakristeischrank aus der Liebfrauenkirche, geschlossen -
rechts: Die Innenbemalung der rechten Tür des Sakristeischranks: die hl. Kunigunde.

Die thronende Muttergottes aus der Liebfrauenkirche. Das Bildwerk zählt zu den berühmtesten niedersächsischen Skulpturen des 13. Jh. Auf dem Löwenthron niedergelassen, verkörpert die Gottesmutter zugleich den Sitz der göttlichen Weisheit.

Kruzifix aus der Zeit um 1260/70, auf neuem Trägerkreuz.

Kreuzigung Christi, Aufsatz des ehem. Kreuzaltars. Alabaster, teilweise gefaßt.

Auf der in Bronze gegossenen und bemalten Fünte sind Szenen der Kindheit und Jugend Jesu in flachem Relief geschildert. Hier abgebildet: Anbetung der Könige, Kindermord in Bethlehem, Darstellung Christi im Tempel. Von den Trägerfiguren, die vorauszusetzen sind, ist nichts mehr bekannt.

Doppelfigur im Strahlenkranz, der hl. Stephanus und die Madonna; um 1400.

Links unten: Neuer Kapitelsaal, östliches Joch vor dem Ausgang zum Südquerhaus. Großer Standleuchter, am Sockel seitlich die Figuren der hll. Stephanus und Karl d. Gr., um 1400 (vgl. S. 60).

Rechts unten: Einer der Gewölbeanfänger vom ehemaligen Schlingrippengewölbe im Neuen Kapitelsaal (1514).

Gemalter Flügelaltar, die "Madonna mit der Korallenkette".

Gemalte Tafel, die Madonna, dem Wortlaut der Offenbarung nach dargestellt: mit der Sonne (dem Strahlenkranz) bekleidet, mit Sternen bekrönt und auf dem Mond stehend.

Fröndenberger Altar des Conrad von Soest in Dortmund, Museum für Kunst- und Kulturgeschichte). Mit diesem Altar steht die Tafel einer Madonna im Strahlenkranz (s. Abb. rechts) in engem stilistischen Zusammenhang, ein Bildtypus, der auf die Offenbarung Johannis (12,1) zurückgeht. Beide Kunstwerke waren um 1420 für die Marienkapelle gestiftet worden. Der große gemalte Kreuzigungsaltar von 1509 ist ein Hauptwerk des Malers Hans Raphon (s. S. 84). Er stand auf dem Nebenaltar im 3. westlichen Joch des Nordseitenschiffs. Ein um zwei bis drei Jahrzehnte älterer Altarflügel schildert das selten dargestellte Martyrium der hl. Eufemia, die z. Zt. des Kaisers Diokletian unter dem Richter Priscus ihr Leben lassen mußte (s. S. 83): im oberen Blickfeld übersteht es die Heilige, zwischen großen Steinen eingequetscht zu werden, darunter ist gezeigt, wie sie in einer Grube von den dort hausenden wilden Tieren verschont wird, schließlich aber von der Hand des Henkers stirbt. Das Altarretabel ist dem Meister des Marktkirchenaltars von Hannover zuge-

Altarflügel mit dem Martyrium der hl. Eufemia.

*Großer gemalter Wandelaltar
mit der Kreuzigung Christi,
auf den inneren Flügeln Verkündigung an Maria
und erste Lebensstationen Christi;
auf dem Rahmen als Werk des Malers
Hans Raphon von 1508 bezeichnet.*

schrieben worden (im 1208 notierten Verzeichnis der von Bischof Konrad der Domkirche geschenkten Reliquien ist auch das "brachium Eufemie virginis", ein kostbar geschmücktes Armreliquiar, aufgeführt. Wo der im 2. Viertel des 13. Jh. gestiftete Eufemia-Altar stand, ist nicht mehr bekannt).

*Flügelpaar, für einen der Engeldarsteller beim
Drachenspiel. Holz, bemalt, wohl 1. Hälfte des 15. Jh.*

Konsole im nördlichen Kreuzgang für eine
geplante frühgotische Rippenwölbung.

Gekrönte Muttergottes auf einem Löwenthron, im
südlichen Kreuzgang. Ende des 14. Jh., wohl in
Anlehnung an ein älteres Bildwerk.

Die Domstiftsgebäude

Die erste Erwähnung des südlich an die Kirche anschließenden Domklosters fällt in das Jahr 923. Erhalten sind der frühgotische Kreuzgang, das Remtergebäude im Westen und teilweise noch ältere
Bauteile im Osten. Mit dem Bau einzelner Kurien in
der Nähe des Domes hatte sich das ursprünglich
gemeinschaftliche Leben der Domkleriker aufgelöst
- bauliche Strukturen der älteren Zeit lebten aber in
den Neubauten des 2. Viertels des 13. Jh. fort. War
mit diesen eine einheitliche, dem Neubau des Domes angemessene Erscheinung der Stiftsgebäude
geplant gewesen, so erwuchs in spätmittelalterlicher
Zeit insbesondere auf der West- und Südseite aus
allerlei Um- und Anbauten ein recht malerisches
Bild. Um den mittelalterlichen Kernbestand an den
Tag zu bringen, kam es nach 1860 zu umfangrei-
chen Abbrüchen - es fiel u. a. der Fachwerkbau des
"Domkellers" neben den Türmen (s. S. 34). Der
südliche Kreuzgangflügel ist damals zum bloßen
Verbindungsgang geworden. Die im 13. Jh. bald
wieder verworfene Einwölbung des Kreuzgangs mit
einem Rippengewölbe und auch die damals offenbar unfertig gebliebene Arkadenteilung (diese im
19.Jh. nach klassisch-frühgotischem Vorbild ergänzt)
sprechen für eine stockende Bauausführung. In tie-
ferer Lage haben sich am Ostflügel die ältesten Bauteile der Klausur erhalten, zwei (ehemals drei) zum
Kreuzgang hin geöffnete Räume der ersten Hälfte
oder der Mitte des 12. Jh., der sogenannte Alte Kapitelsaal (s. S. 86). Östlich ist an diesen die im Jahr
1417 geweihte Kapelle der für die Dombaufinanzie-
rung tätigen Stephansbruderschaft (s. S. 86) angefügt. Im Obergeschoß des Ostflügels diente der große rippengewölbte Raum nach Nordosten vielleicht
als das genannte Armarium; vom Chor her war er
unmittelbar über den noch bestehenden gedeckten
Gang erreichbar (s. S.34). Die nächstfolgenden Räume - ehemals hier Kapitelstube, Rittersaal und Ständestube - sind seit 1861 gänzlich verändert. Im Ostflügel dürfte in spätmittelalterlicher Zeit das alte
Dormitorium gelegen haben (bis 1416, dann Bau

Der Nordflügel des Kreuzgangs im Blick nach Osten.

des "neuen slaphus"). Nicht mehr vorhanden sind auch die Räume der Bibliothek, deren Bestände zum größten Teil zwischen dem Domgymnasium und der Universität Halle (dort in Teilen erhalten) aufgeteilt worden sind. Mit dem Umbau von 1861 verschwanden auch die alten Steildächer zugunsten eines ganz flachen, abgewalmten Schieferdaches von klassizistischem Zuschnitt (s. S. 11).

Mitten am Westflügel des Kreuzganges ist die Neuenstädter Kapelle in den Kreuzhof hineingebaut (s. S. 45), ein schlichter spätgotischer Bau mit hohem Dachreiter aus dem Jahr 1502. Stifter des Bauwerks und der in ihm noch in der Spätzeit des Domstifts gefeierten Liturgie war der schon genannte Propst Balthasar von Neuenstadt. Den zweijochigen Raum schmückt ein prächtiger, im 19. Jh. allerdings er-

Links: Der Blick aus dem Alten Kapitelsaal in die Stephanuskapelle; die Fenstermaßwerke nach 1868, das Trenngitter um 1600.

Unten: Der sogen. Alte Kapitelsaal an der Ostseite des Kreuzgangs, Blick nach Nordosten. Links die Arkaden zum Kreuzgang, rechts die Bogenöffnung zur Stephanuskapelle.

Das Innere der Neuenstädter Kapelle am Westflügel des Kreuzgangs. Das Wappen des Stifters, des Propstes Balthasar von Neuenstadt, am Schlußstein des Chorpolygons (dat. 1503). Der Flügelaltar mit der Krönung Mariens wurde im späten 19. Jh. ergänzt. An der Nordwand überliefert ein im 18. Jh. gemalter "Teppich" eine nicht mehr erhaltene romanische Wirkarbeit, vielleicht ein Gegenstück zum Apostelteppich.

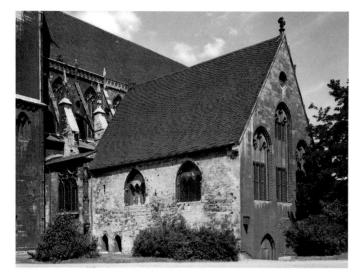

Links: Die westlichen Domstiftsgebäude: im Anschluß an den Dom das Westfenster des Neuen Kapitel-saals, dann das Remtergebäude mit seiner südlichen Giebelwand von 1868. -
Rechts: Portal in das Obergeschoß des Remters, im oberen Kreuzgang

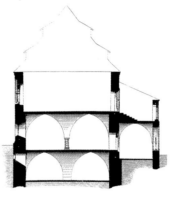

Der
Remter
vor seiner
Wieder-
herstellung,
1868 (Ansicht
und Schnitt,
nach
Döring).

Links: Das Innere des
Remters, Erdgeschoß,
nach Nordwesten
gesehen.
Die vierseitigen Pfeiler
des mächtigen
Kreuzgratgewölbes sind
z. T. erneuert. Neben
dem Altar eine kleine
Bronzetaufe in Kelch-
form, mittleres 13. Jh.
Der Raum dient der
Domgemeinde als
Winterkirche.

Die Kuriengebäude auf der Nordseite des Domplatzes, vom Haus Nr. 44 bis zum Dom hin gesehen.

gänzter Schnitzaltar mit einer Marienkrönung im Mittelschrein (s. S. 87). Zur originalen Ausstattung gehört auch hier eine schmiedeeiserne Lichterkrone, ein Werk von besonderer Feinheit, älter als der große Radleuchter im Langhaus. Neben den spätgotischen Glasmalereien im Chorschluß der Kapelle verdienen die im Jahr 1739 bemalten Leinwände an der Nordwand besonderes Interesse, auch wenn ihre künstlerische Dürftigkeit dazu nicht gerade einlädt: Es handelt sich um Kopien nach damals noch vorhandenen Wirkteppichen des 12./13. Jh.

Größtes Gebäude am westlichen Kreuzgangflügel ist der Remter (s. S. 88). Seine nach Süden weisende Giebelfront ist mit ihrer Dreifenstergruppe weitgehend ein Werk der Erneuerung des 19. Jh.: Sie entstand nach einem 1859 gezeichneten Entwurf Ferdinand von Quasts, nach dem das Obergeschoß zur Aula des Domgymnasiums ausgebaut wurde. Die ursprünglichen frühgotischen Bauformen blieben damals an den Fenstern der Westseite und an einer schönen Pforte zum Obergeschoß (vom oberen Kreuzgang aus) erhalten (s. S. 88). Anders, als es das hohe Satteldach anzeigt, ist das Erdgeschoß nach Norden hin bis an den Dom geführt und damit auf der Westseite mit seinem letzten Fensterpaar förmlich hinter dem Südwestturm verborgen. Diese Situation läßt vermuten, daß das Gebäude noch vor dem bestehenden Dom begonnen worden ist. Im Inneren nimmt ein großer zweischiffiger Raum, heute die Winterkirche der Domgemeinde, das Erdgeschoß ein (s. S. 88). Das Obergeschoß ist durch moderne Einbauten verändert.

Die Kurien

Über eine mittelalterliche Unterteilung des Domplatzes ist nichts bekannt. Noch im 19. Jh. gab es aber die Einfriedung des Liebfrauenkirchhofs, die den Platz im Westen etwas verkürzte, ferner Unebenheiten, deren Ursache ungeklärt ist. Daß der Platzraum grundsätzlich bestanden hat, geht z. B. aus dem öffentlichen "Domherrenspiel" (es stellte den Sieg der Kirche über das Heidentum vor) und dem "Drachenspiel" hervor. Die äußere Platzbebauung geht auf eine in mittelalterlicher Zeit vorgenommene Austeilung von Hofstellen entlang der Außenmauer der Domburg zurück (s. S. 4-7). Dem baulichen Typus nach gleicht sie damit in gewisser Weise einer Randhausburg oder auch der Bebauung hochmittelalterlicher Stadtumwehrungen mit Wohnsitzen des Stadtadels im Maueranschluß: Es liegt nahe, daß die Verteidigung der ausgedehnten Domburg bischöflichen Dienstleuten oblag, die anfangs hier auch ansässig gewesen sind. Als die Domburg im 12./13. Jh. von der Stadt umgeben war, konnten auf jenen Grundstücken Kurien, Residenzen der Domherren, entstehen. Die ehemaligen Torwege der Burg (s. Vorsatzblatt u. S. 5-7) leben in den Zugangsstraßen zum Domplatz hin fort, vom Namen her erkennbar noch im "Tränketor" nach Norden. Eine besonders starke Toranlage muß es zur weniger geschützten Südseite hin gegeben haben (deswegen wohl "Düsteres Tor"). Als Torsperre hat hier in der Mitte des 14. Jh. eine eiserne Kette genügt. Auf das von den Scholaren aufgeführte "Drachenspiel" soll der Name

*Oben: Die ehem. Dompropstei, der frühere Ver-
waltungssitz des Fürstentums, heute Stadtverwal-
tung, im Blick nach Südosten.
Unten: Die Statue des Stiftspatrons St. Stephanus
an der Ecke der Dompropstei.*

des westlichen Platzzugangs, das "Drachenloch",
zurückgehen. Der Zugang im Osten, die Domstufen
(Burgtreppe), tritt wegen der großen Fehlstelle in
diesem Bereich derzeit nicht in Erscheinung. Im
Norden ist die Peterstreppe neuerdings dem Bestand
von 1898 wieder angenähert worden.

Lag seit der frühesten Zeit das Domkloster südlich vom Dom, so stand das Palatium des Bischofs
im Norden, an die bischöfliche Hauskapelle St. Liudger unmittelbar anschließend. Nachdem Bischof
Burchard I. den Petershof als Residenz der Bischöfe
begründet hatte (s. S. 30f.), wurde der alte Bischofs-
hof (später als Herrenkurie A bezeichnet) von den
Domdechanten bezogen. Im Ganzen ist unsere Kenntnis von der Altbebauung lückenhaft: Es gab die
Kurien, die Kapellen (St. Gangolph, St. Laurentius),
Wirtschaftsgebäude aller Art, in späterer Zeit auch
Kram- und Buchläden, an deren Einkünften das Stift
Anteil hatte. Dem Propst Balthasar von Neuenstadt
diente zuletzt eine Kurie, die als geräumiges Haus
mit über zwanzig Räumen bezeugt ist, eine große
Haushaltung mit Scheunen und Ställen für sechs
Pferde und zehn Schweine (weitere 27 Schweine
waren in der Stadt untergebracht). Die erhaltenen
Gebäude gehören weitgehend nachmittelalterlicher
Zeit an, und damit ist das Bild des Domplatzes nicht
zuletzt ein Ergebnis des 18. und auch des 19. Jh.
Dabei belegt der nach Westen weisende Fachwerk-
giebel am Haus Nr. 44, daß die schöne und verhältnismäßig einheitliche Häuserreihe, die diesen nörd-

Die ehem. Spiegelsche Kurie (Domplatz 36), das Städtische Museum, im Blick vom Dom zur Unterstadt.

lichen Platzabschnitt bestimmt (s. S.89), nicht das Bild wiedergibt, das hier bis zum 18. Jh. bestanden hat. Die ältere Bebauungsstruktur ist auch im Blick auf das Rückgebäude Nr. 48 (Mitte des 18. Jh.) zu erkennen (das Vorderhaus ist eine in Fachwerkbauweise errichtete Villa des späten 19. Jh.).

Aus der Zeit des Bischofs Heinrich Julius stammt die Dompropstei, die in den Jahren 1591-1611 an der Einmündung der Straße "Unter den Zwikken" neu gebaut wurde (s. S. 13 u. 90). Ob die in der niederdeutschen Renaissance-Architektur recht ungewöhnlichen straßenseitigen Erdgeschoßarkaden etwa von Laubengängen eines Vorgängerbaues her bestimmt sind, ist ungeklärt. Im 16.-19. Jh. reichte das Gebäude vom Domplatz bis zur Schmiedestraße, wo die jetzt unter den Bögen zum Domplatz hin aufgestellte Stephanusfigur ihren Platz hatte (s. S. 90) - der Bistumspatron waltete als Schirmherr dieses Regierungsgebäudes und des alten Torweges zur Domburg also auch noch in nachmittelalterlicher Zeit. Das Innere der Dompropstei wurde mehrfach verändert und zuletzt 1957 wiederhergestellt (heute Amtssitz des Bürgermeisters). Die Dompropstei, das westlich benachbarte gründerzeitliche Eckgebäude des Postamts von 1899 (auf dem Grund einer früheren Kurie, s. S. 13) und der Petershof bezeugen eine der alten, bis in die Neuzeit fortdauernden Funktionen des Domplatzes als Sitz der Landesverwaltung. Nach Osten hin schließt sich das 1875 erbaute ehem. Domgymnasium an (s. S. 12). Hier hatte die Domschule schon in spätmittelalterlicher Zeit ihren Platz. Der neugotische Werksteinbau ist mit dem "sakralen" Motiv des vor dem Giebel frei stehenden Pfostenwerks angemessen hervorgehoben (als städtisches Amtsgebäude genutzt). Das weiter nach Osten hin anschließende Haus ist das Dompfarramt (Superintendentur; Nr. 18/19, s. S. 12). Zur Liebfrauenkirche hin stehen auf der Südseite die anspruchsvollen, in Resten spätmittelalterlichen Gebäude der Kurien des ehem. Liebfrauenstifts (Nr. 3 die ehem. Dechanei von 1796; Redernsche Kurie;

s. S. 92u.). Bescheidener sind auf der gegenüberliegenden, der nördlichen Platzseite die als spätbarocke Fachwerkhäuser errichteten Predigerhäuser der reformierten Gemeinde (Nr. 46, 47, s. S. 89).

Besondere Aufmerksamkeit verdienen die Kuriengebäude nördlich vom Dom. Nach der Baulücke am Tränketor folgt mit Haus Nr.36 die ehemalige Spiegelsche Kurie (s. Abb. oben). Der hübsche Spätbarockbau ist 1782 - vermutlich vom Landbaumeister J. C. Huth - gebaut worden; in seiner Architektur folgt er Bauten wie dem einige Jahre früher gebauten Kleinen Schloß in Blankenburg/Harz. Sein Erbauer, Domherr Ernst Ludwig von Spiegel, hat sich als Schöpfer eines berühmten, weit vor der Stadt gelegenen frühen Landschaftsgartens einen Namen gemacht. Das hier im Jahr 1905 eingerichtete Städtische Museum umfaßt neben ur- und frühgeschichtlichen Beständen eine bedeutende stadt- und kulturgeschichtliche Sammlung. Auch das schon 1835 begründete ornithologische "Museum Heineanum" hat hier seit 1907 seine Heimstatt. Die architektonische Disposition eines kleinen ländlichen Schloß-

Die ehem. Dechanei (Domplatz 34, Medizinische Fachschule).

Die Eingangshalle in der ehem. Domdechanei.

baues weist auch die 1754 neu gebaute ehem. Domdechanei (Nr. 34) auf. Der zum Dom hin gewendete Ehrenhof mußte dem asymmetrischen Parzellenzuschnitt angepaßt werden; für einen Garten war aufgrund der Geländesituation kein Platz mehr vorhanden (s. S. 92 oben und Mitte.). Die Domdechanei wurde 1914 unter Bewahrung ihrer barocken Erscheinung neu aufgebaut und für Zwecke des königlichen Amtsgerichts eingerichtet.

Das berühmteste der Halberstädter Kuriengebäude ist freilich das verhältnismäßig einfache Haus Nr. 31, das mehr als ein halbes Jahrhundert, zwischen 1747 und 1803, dem Halberstädter Stiftssekretär, dem Anakreontiker, Lied- und Fabeldichter Johann Wilhelm Ludwig Gleim (1719-1803) als Wohnsitz diente (s. S. 93). Gleim hat das noch dem 17. Jh. angehörende Fachwerkhaus schon 1751 um den östlichen Anbau erweitert. Bewundernswert ist Gleims Bildnissammlung in den Wohnräumen des Obergeschosses, die als Freundschaftsgalerie ("Tempel der Freundschaft") nicht ohne die Kenntnis des hergebrachten "Bilder-Saales" ist, diesen aber in die private Sphäre der freundschaftlichen Erinnerung wendet. Die Sammlung sollte nach den Bestimmungen der 1781 gegründeten Gleimschen Familienstiftung mit dem reichen Bestand an Büchern und Handschriften Grundstock einer "Schule der Humanität" werden - seit 1862 war dann das Gleimhaus als eines der ersten deutschen Memorialmuseen öffentlich zugänglich (seit 1898 städtisch). Seit 1995 schließt sich ihm ein modernes Ausstellungs- und Vortragsgebäude an. Gleims Garten lag vor dem ehem. Gröpertor. Hier, in einer seit 1872 öffentlichen Grünanlage, liegt der Dichter begraben. Ein gußeisernes Monument von 1846 erinnert an ihn.

Die ehem. Dechanei des Liebfrauenstifts (Domplatz 3, 1796) und die frühere Kurie Domplatz 4, südlich der Liebfrauenkirche.

Oben: Das Gleimhaus, Domplatz 31, im Blick nach Nordwesten.
Unten: Das Gleimhaus, Wohnraum im 1. Obergeschoß. In der Mitte der oberen Bildnisreihe das
Porträt J. W. L. Gleims, 1789 von Johann Heinrich Ramberg gemalt.

LITERATURHINWEISE

1. *ARCHÄOLOGISCHE BEMERKUNGEN ZUR DOMBURG*: Günther, K.: Die Ausgrabungen auf d. Domhof in Minden 1974-1977. In: Zwischen Dom u. Rathaus. Beitr. z. Kunst- u. Kulturgesch. Stadt Minden, Minden 1977, S. 21-35. - Schmidt-Ewald, W.: Die Entstehung d. weltlichen Territoriums des Bistums Halberstadt. Abh. zu. mittl. u. neu. Gesch. 60, Berlin- Leipzig 1916, S. 1-10. - Siebrecht, A.: Halberstadt aus stadtarchäolog. Sicht: Die Bodenfunde d. 8. bis 13. Jhts. aus d mittelalterl. Stadtgebiet u. ihre historische Erschließung, Halle 1992 (Veröff. d. Landesmus. f. Vorgesch. Halle, Bd. 45).

2. *ZUR LANDES- UND STADTGESCHICHTE:* Adreß- und Geschäftshandbuch von Halberstaedt für das Jahr 1892, hrsg. v. G. Dietze, Halberstadt 1892. - Becker, K.: Chronik der Stadt Halberstadt/Harz, Berlin 1924. - Bennigsen, C.v.: Die Diözesangrenzen des Bistums Halberstadt. In: Ztschr. d. hist. Vereins für Niedersachsen 1867 (Hannover 1868), S. 1-122. - Bogumil, K.: Das Bistum Halberstadt im 12. Jh., (Mitteld. Forsch. 69), Köln, Wien 1972. - Böttcher, Prof. Dr.: Neue Halberstädter Chronik, Halberstadt 1913. - Diestelkamp, A.: Halberstädter Analekten. In: Sachsen und Anhalt 4, 1928. - Doering, Oskar: Beschreibende Darstellung der älteren Bau- und Kunstdenkmäler der Kreise Halberstadt Land und Stadt, Halle 1902, S. 163-223. - Fritsch, J.: Die Besetzung des Halberstädter Bistums in den ersten vier Jahrhunderten seines Bestehens, Diss. Halle 1913. - Gesta episcoporum Halberstadensium (781-1209). Monumenta Germaniae historica 23. Hannover 1874, S. 73 bis 123 (hrsg. von L. Weiland). - Gleims Leben und seine Beziehungen zu berühmten Zeitgenossen und Daten, zusammengestellt von G. Wappler, Halberstadt 1988. - Glowka, G., u.a.: Der Landkreis Halberstadt. Braunschweig 1992. - Herzog, E.: Die ottonische Stadt. Die Anfänge der mittelalterlichen Stadtbaukunst in Deutschland (Frankfurter Forsch. z. Architekturgeschichte 2), Berlin 1964. - Jaeschke, K.-U.: Die älteste mitteldeutsche Bischofschronik (Mitteld. Forsch. 62/I), Köln, Wien 1970. - Meier, R.: Die Domkapitel zu Goslar und Halberstadt in ihrer persönlichen Zusammensetzung im Mittelalter (Stud. z. Germania Sacra I), Göttingen 1967. - Militzer, K. und Przybilla P.: Stadtentstehung, Bürgertum und Rat. Halberstadt und Quedlinburg bis zur Mitte des 14. Jahrhunderts (Veröffentlichungen des Max-Planck-Institutes für Geschichte 67), Göttingen 1980. - Nickel, E.: Die Südbefestigung der Domburg Halberstadt. In: Jahresschr. f. mitteld. Vorgeschichte 38, 1954, S. 244-256. - Pfaff, Helmut: Halberstadt. Versuch einer siedlungs- und stadtgeographischen Darstellung, Diss. Gießen, Würzburg 1935. - Schlesinger, W.: Vorstufen des Städtewesens im ottonischen Sachsen. In: Die Stadt in der europäischen Geschichte, Festschr. Edith Ennen, hrsg. v. W. Besch u.a., Bonn 1972, S. 234-258. - Schmidt, Gustav (Hrsg.): Urkundenbuch des Hochstifts Halberstadt. 4 Bde, Halberstadt 1883-1889 (Publik. a. d. Kgl. Preußischen Staatsarchiven 17, 21, 27, 40). - Schmidt-Ewald, W.: Die Entstehung des weltlichen Territoriums des Bistums Halberstadt (Abhandlungen zur Mittleren und Neueren Geschichte 60). Berlin, Leipzig 1916. - Schrader, F.: Gestalt und Entstehung der mittelalterlichen Pfarrorganisation der Stadt Halberstadt und die Gründung des Bistums Halberstadt. In: Nordharzer Jahrb. 14, 1989, S. 45. - Wächter, F.: Das Halberstädter Marktprivileg von 989. In: Nordharzer Jahrb. 14, 1989, S. 5-8. - Wagner, F.: Die Säcularisation des Bistums Halberstadt ... 1648-1650. In: Zeitschr. d. Harz-Ver. 38. 1905, S. 161. - Wittek, G.: Die wirtschaftliche, soziale und verfassungsmäßige Topographie Halberstadts im Mittelalter. In: Die alte Stadt 1990, S. 249. - Wittek, G.: Zur Wirtschafts- und Sozialstruktur der Vogtei und der Domburg im 14. Jahrhundert (Ein Nachtrag). In: Nordharzer Jahrb. 12, 1987. - Zschische, K.L.: Halberstadt sonst und jetzt, Halberstadt 1895.

3. *ZUR LIEBFRAUENKIRCHE:* Dehio, Georg: Handbuch der deutschen Kunstdenkmäler, Der Bezirk Magdeburg, Berlin 1974, S. 149-152 (Ernst Schubert). - Doering, Oskar: Die Ausgrabungen in der Liebfrauenkirche in Halberstadt. In: Die Denkmalpflege 1, 1899, S. 121-123. - Ders.: Halle 1902, S. 305-356. - Elis, C.: Die romanischen Kirchen Halberstadts. In: Zeitschr. d. Harz-Vereins 19, 1886, S. 1-22. - Haber, C. M.: Kurtze jedoch zureichende Beschreibung von der Ober-Collegiats-Stifts-Kirche Beatae Mariae Virginis in Halberstadt .., Halberstadt 1737. - Kugler, F.: Kunst-Bemerkungen auf einer Reise in Deutschland im Sommer 1832. In: Museum, Blätter für Bildende Kunst 1833, S. 44-103. - Leopold, G.: Die Liebfrauenkirche in Halberstadt (Große Baudenkmäler 432), München, Berlin 1992. - Lucanus, F.: Die Liebfrauenkirche zu Halberstadt ... beschrieben als Andenken an die Restauration (?) und die feierliche Einweihung ... 1848, Halberstadt 18.. . - Ders.: Die Liebfrauenkirche zu Halberstadt. In: Dtsch. Kunstblatt 1, 1850. - Mülverstedt, G. A. v.: Antiquitates Marianae. Aus der Vergangenheit des Liebfrauenstifts zu Halberstadt. In: Zeitschr. d. Harz-Vereins 12, 1879. - Nickel, Heinrich L.: Die Liebfrauenkirche zu Halberstadt (Das christliche Denkmal 69), Berlin [3]1988. - Quast, F. v.: Archäologische Reiseberichte. In: Zeitschr. f. chr. Archäologie und Kunst 2, 1858. - Schmidt, G.: Arbeiten für ein Urkundenbuch des Stifts Unser Lieben Frauen zu Halberstadt, ca. 1000-1519 (Mskr. im Landeshauptarchiv Magdeburg). - Zeller, A.: Frühromanische Kirchenbauten nördlich des Harzes, Leipzig 1928.

4. *ZUM DOM:* Betzner, K.: Die drei Bauabschnitte des Halberstädter Domes. Vergleichende statisch-konstruktive Untersuchung der Tragsysteme am Langhaus und am Chor. In: Gebaute Vergangenheit heute. Berichte aus der Denkmalpflege, Berlin 1993, S. 21-50. - Bolze, W.: Der Wiederaufbau des Halberstädter Domes, Halberstadt 1991. - Bormann, K.: Die gotische Orgel zu Halberstadt, Berlin 1966. - Brackmann, A.: Urkundliche Geschichte des Halberstädter Domkapitels im Mittelalter. Phil. Diss. Göttingen, Wernigerode 1898. - Büsching, J. G.: Reise durch einige Münster u. Kirchen d. nördlichen Deutschlands im Spätjahr des Jahres 1817, Leipzig 1819. - Cante, A.: Die Grabanlage Erzbischof Friedrichs IV. von Magdeburg (†1552) im Halberstädter Dom. In: Zeitschr. f. Kunstgesch. 58.1995, S. 504-524. - Doering, Oskar (s.o.): Halle 1902, S. 223-305. - Diestelkamp, Adolph: Ein Inventar des Halberstädter Domes aus dem Jahr 1465. In: Zeitschr. d. Ver. f. Kirchengesch. der Provinz Sachsen und des Freistaats Anhalt 25, 1929, S. 81-88. - Elis, C.: Der Dom zu Halberstadt. Baugeschichtliche Studien, Berlin 1883. - Fiebig, A.: Das Hallenlanghaus des Mindener Doms - Neue Beobachtungen zu Datierung und architekturgeschichtlicher Stellung. In: Niederdtsch. Beitr. z. Kunstgesch. 30, 1991, S. 9.29. - Flemming, J., Lehmann E. und Schubert Ernst: Dom und Domschatz zu Halberstadt, Berlin 1974; Neubearbeitung 1988. - Frenzel, R.: Der Dom zu Halberstadt, Berlin 1968 (Das christliche Denkmal 74/75). - Giesau, H.: Eine deutsche Bauhütte aus dem Anfang des 13. Jhts, Halle 1912 (Stud. z. thüringisch-sächsischen Kunstgesch. 1), Ders.: Der Dom zu Halberstadt. Burg b. Magdeburg 1929 (Deutsche Bauten 16). - Haber, C.: Kurtz gefaßte, aber doch gründliche Nachricht von der hohen Stifts-Kirchen oder sogenannten Dom-Kirchen zu Halberstadt und deroselben Merckwürdigkeiten, ... Halberstadt 1739. - Hermes, E.: Der Dom zu Halberstadt, seine Geschichte und seine Schätze. Festschr. zum 18. Sept. 1869, Halberstadt 1896. - Hinz, P.: Gegenwärtige Vergangenheit. Dom und Domschatz zu Halberstadt, Berlin 1962 (1971[5]). - Kunst, J.: Der Domchor zu Köln und die hochgotische Kirchenarchitektur in Norddeutschland. In: Niederdtsch. Beitr. z. Kunstgesch. 8, 1969, S. 9-40. - Leopold, G. und Schubert, Ernst: Der Dom zu Halberstadt bis zum gotischen Neubau, Berlin 1984. - Leopold, G.: Die Halberstädter Bischöfe aus der Familie des hl. Liudger als Bauherrn. In: Das Münster am Hellweg 46, 1993, S. 42-65. - Ders.: Zwei Lettner des 13. Jahrhunderts in Halberstadt. Archäologische und kunsthistorische Forschungsergebnisse im Dom und in der Liebfrauenkirche, in: Europäische Kunst des 13. Jahrhunderts, Funktion und Gestalt, Weimar 1995. - Lucanus, F. G. H.: Der Dom zu Halberstadt, seine Geschichte, Architektur, Alterthümer und Kunstschätze, Halberstadt-Berlin 1837. - Nebe, G.: Conrad von Krosigk, Bischof von Halberstadt. Ein Lebensbild. In: Zeitschr. d. Harz-Vereins 13, 1880, S. 209-227. - Nicolai, B.: Walkenried. Anmerkungen zum Forschungsstand. In: Niederdtsch. Beitr. z. Kunstgesch. 28, 1989, S. 9-32. - Ders.: "Libido Aedificandi" (Quellen und Forschungen zur Braunschweigischen Geschichte 28), Braunschweig 1990. - Olearius, J. Chr.: Adami Halberstadensi in die cinerum ex ecclesia electi historia ..., Helmstedt 1702. - Schmidt, G.: Die Dompröpste von Halberstadt. In: Zeitschr. d. Harz-Vereins 19, 1886, S. 23-92. - Schubert, Ernst: Besaß der Halberstädter Dom eine Vorhalle? In: Archäologie als Geschichtswissenschaft, K. H. Otto zum 60. Geburtstag (Schr. z. Ur- und Frühgesch. 30), Berlin 1977, S. 461-466. - Ders.: Zur Geschichte des Halberstädter Dombaues. In: Nordharzer Jahrb. 9, 1983, S. 85-91. - Schulte, J. F. v.: Johannes Teutonicus. In: Zeitschr. f. Kirchenrecht 16, 1881, S. 107-132. - Uffenbach, Z. C. v.: Merckwürdige Reisen durch Niedersachsen, Holland und Engelland I., Ulm und Memmingen 1753. - Voß, G.: Neue Wasserspeier am Halberstädter Dom. In: Denkmalpflege in Sachsen-Anhalt 2.1994, S. 119-122.